Le compte à rebours
a-t-il commencé ?

Albert Jacquard

Le compte à rebours a-t-il commencé ?

Stock

ISBN 978-2-234-06086-9

Changer de planète

L'illusion d'un ailleurs. Les contraintes de la distance. L'impossible rencontre.

Cinq… quatre… trois… deux… un… *zéro*… Cette litanie est égrenée, à Kourou ou sur les diverses bases de lancement, chaque fois qu'est donné l'ordre de mise à feu d'une fusée en partance pour l'espace. Cette succession rythmée fait du temps le maître des événements, elle dramatise l'attente et donne au zéro final le poids de tout ce qui l'a précédé.

Le cinq initial marque le changement de la référence utilisée pour situer les instants successifs. D'ordinaire, cette référence temporelle est liée à un événement passé, telles l'instauration de la République romaine en l'an − 800, la naissance du Christ en l'an 0, ou l'Hégire en 622 ; ces événements acquièrent, par ce rappel systématique, le statut d'acte fondateur. La litanie mettant en scène l'instant attendu qu'est le départ d'un futur satellite fait au contraire référence à une réalité à venir. Redoutée ou souhaitée, subie ou préméditée, elle s'approche de son but, comme si elle tentait d'échapper à la volonté des témoins ; jusqu'à l'instant un, rien n'est encore tout à fait irréversible, rien de définitif n'a encore eu lieu. Les épisodes se succèdent en respectant la suite continue des décisions inscrites dans le programme. Tout se déroule conformément à l'enchaînement des déterminismes.

Mais, dès l'instant où le zéro fatidique est prononcé, il n'est plus possible de respecter ces déterminismes. Une rupture définitive crée deux catégories temporelles, l'une contient ce qui s'est produit *avant*, l'autre ce qui se produira *après* ; une nouvelle série d'événements commence, l'ensemble de ce qui adviendra, tandis qu'une autre série s'achève, l'ensemble de ce qui est déjà advenu.

Étendus sur les couchettes de leur capsule, les astronautes vivent enfin au présent cette séquence longuement préparée, dont chaque geste a été étudié, répété, mis au point. Pour eux, sauf accident, le zéro, à peine entendu dans le rugissement des boosters, ouvre sur une nouvelle séquence ; ils défrichent un chemin nouveau.

Le départ devenu presque banal d'une fusée spatiale habitée n'est que la métaphore d'un projet autrement grandiose : celui d'une trans-humance de l'humanité vers une planète capable, mieux que la nôtre, de nous héberger et de satis-faire nos exigences. De Cyrano à Méliès, seuls les poètes avaient imaginé de quitter la planète, et ils ne dépassaient pas l'astre le plus proche, la Lune. Il se trouve que nous venons simultané-ment de nous donner les outils nous permettant de quitter la Terre et de nous apercevoir, après une longue période d'insouciance, que la coha-bitation de l'humanité et de la planète n'est plus harmonieuse. Nous sommes devant l'évidence que nos besoins, tels que nous les définissons aujourd'hui, ne peuvent être durablement satis-faits.

L'exemple le mieux connu est le décalage entre le rythme de production du pétrole par la Terre, rythme qui se mesure en centaines de millions d'années, et celui de notre consommation, qui se mesure en siècles. L'écart entre ces unités de temps est le signe d'une incompatibilité. Pour y échapper, nous avons construit en quelques années des centrales nucléaires, fournissant l'énergie désirée ; mais des centaines de siècles seront nécessaires pour que s'atténue le venin radioactif de leurs déchets. Le constat est clair :

l'humanité telle qu'elle est devenue, et plus encore telle qu'elle va devenir, si sa dynamique actuelle se poursuit, ne peut se satisfaire durablement de ce que lui propose la nature. Le domaine dont nous disposons n'est pas, ou n'est plus, à la mesure de nos exigences. Il n'y a que deux issues, changer de domaine ou modifier nos exigences.

La première solution consiste à chercher un ailleurs et à s'y transporter. Certains futurologues, dans le prolongement des rêves de Jules Verne, se contentent de faire confiance à l'intelligence des scientifiques et à l'ingéniosité des ingénieurs. Demandons-leur de résoudre les problèmes que pose le développement trop rapide de nos pouvoirs ; ils trouveront une solution.

Cette attitude repose plus sur un acte de foi que sur une analyse raisonnable des données. Elle ne tient pas compte d'un fait sur lequel nous n'avons aucune prise : quelle que soit la référence utilisée pour mesurer une vitesse, celle-ci ne peut dépasser celle de la lumière, ou plus précisément celle des ondes électromagnétiques dans le vide. La structure même de l'espace et du temps implique que toute vitesse est nécessairement inférieure à celle de ces ondes, vitesse désignée par la lettre c et voisine de 300 000 kilomètres-seconde.

Si fantastique que soit cette vitesse, elle paraît bien insuffisante lorsqu'il s'agit d'aller d'une étoile à l'autre. En faisant un effort d'imagination, nous pouvons nous représenter mentalement la distance de la Terre au Soleil, 150 millions de kilomètres, que la lumière parcourt en huit minutes. Mais si nous regardons au-delà de notre étoile, la réalité dépasse notre entendement, même en ne quittant pas notre galaxie. L'étoile la plus proche est à quatre années-lumière.

Depuis quelques décennies, les astronomes font la chasse aux exoplanètes, c'est-à-dire des planètes tournant autour d'une étoile autre que le Soleil. Leur tableau de chasse est impressionnant et s'enrichit rapidement à mesure que les techniques de détection s'améliorent. Il est possible, et même fort probable, que parmi les cent ou deux cents milliards d'étoiles que renferme la Voie lactée, on découvre un jour des planètes ayant les caractéristiques recherchées.

Alors nous pourrons fantasmer et dessiner des vues d'artistes de cette Terre bis. Nous pourrons diriger sur elle nos appareils de communication. Mais si elle se trouve à un millier d'années-lumière, ce qui est peu à l'échelle de notre galaxie, la conversation sera bien lente. Quant à espérer des visites réciproques, comprenons que les visiteurs seraient dans l'état où ils étaient quelques milliers d'années avant leur arrivée. Encourager des rêves à ce propos peut susciter des œuvres d'art aussi magnifiques que celles inspirées depuis des milliers d'années par notre imagination. Mais il nous faudra comprendre que ce ne sont que des rêve, ce qui nous incitera à explorer la seconde issue, non pas en nous épuisant inutilement contre un univers qui nous ignore, mais en prenant en charge la partie de l'univers qui est entre nos mains : nous.

Préserver la planète
ou préserver l'humanité ?

Pourquoi s'intéresser à une planète banale ? Le cas particulier du jardin des vivants. L'association humains-planète. L'hypothèse Gaia. De la vie à la conscience. De la reproduction à la procréation. Du réel au possible.

Il n'est question depuis quelques décennies que de sauver la planète. Les rencontres de chefs d'État ou les colloques internationaux comme les conversations en famille ou les brèves de comptoir polarisent les réflexions sur ce sauvetage présenté comme urgent. Mais n'y a-t-il pas là une erreur de terme ? Est-ce bien la Terre qui est en danger ? Depuis plus de quatre milliards d'années, notre planète poursuit, imperturbable, son tournoiement sur elle-même et son parcours en ellipse autour du Soleil ; pour elle, les seules influences venues de l'univers, qui soient immédiatement décelables, sont les liens gravitationnels qui la rendent solidaire du Soleil et de la

Lune ; le premier, par sa masse énorme, la maintient rigoureusement sur son orbite, la seconde, par sa proximité, la stabilise et ralentit peu à peu son mouvement de toupie.

Vue de Sirius, son histoire actuelle ne comporte guère d'événements marquants. Elle est comme installée dans la quiétude routinière du système solaire où chaque élément fait ce qu'il doit faire, ou plutôt ce qu'il ne peut pas ne pas faire. L'avenir proche ne promet guère de surprise, sinon la possible rencontre inopinée d'un astéroïde vagabond. Il faudra attendre encore plus de quatre milliards d'années pour que la séquence finale intervienne et que notre planète soit engloutie par l'étoile centrale. Alors, ayant épuisé ses ressources en énergie, le Soleil, dans un dernier soubresaut, explosera, absorbera les planètes les plus proches, dont la nôtre, enverra dans l'espace les atomes qui auront été réalisés en son sein au cours de ses milliards d'années de vie, et finira son cycle sous la forme d'une banale naine blanche emportée dans le sillage de notre galaxie, la Voie lactée.

Au cours de ce cycle les épisodes successifs seront à chaque instant provoqués par les forces en présence ; qu'elles soient générées par la matière agglomérée dans les étoiles et dans les planètes ou par les interactions entre celles-ci, ces forces agissent aveuglément, en fonction de la réalité cosmique de l'instant. À cette attitude universelle de soumission, une seule exception est connue : les événements survenus sur notre planète lui ont donné un sort singulier. Là sont apparus, il y a peu, à peine quelques millions d'années, des êtres dotés du pouvoir inouï de mettre localement le présent au service d'un avenir choisi par eux.

Leurs moyens propres d'intervention sont très limités, sans commune mesure avec ceux de la nature, mais ils peuvent intervenir de façon indirecte en perturbant provisoirement certains équilibres et en provoquant quelques événements importants pour eux tout en restant insignifiants pour la planète, car elle en a vu bien d'autres : cyclones, tsunamis ou tremblements de terre ne sont que des anecdotes sans importance comparés à la dérive des continents. Observé d'une autre galaxie, par un témoin dont l'unité de temps serait le million d'années, l'avenir de la planète Terre ne semble nullement compromis.

En revanche, certaines de ses particularités semblent moins stabilisées. Elles concernent un espace étendu sur toute sa surface ; ce n'est qu'une fine couche, une pellicule de quelques dizaines de kilomètres d'épaisseur, enveloppant cette boule de matière. Des coïncidences merveilleusement favorables ont fait de cet espace un jardin exubérant et y ont créé les conditions du développement d'êtres que l'on qualifie de « vivants ». L'atmosphère, les océans, les couches superficielles de la croûte terrestre ont contribué à maintenir de multiples équilibres dans cette véritable serre, où nous, les « vivants », nous sommes installés ; mais elle ne représente qu'une infime partie de l'espace occupé par la planète. Notre domaine est une enveloppe occupant à peine un millième du volume total. Cette faible proportion montre à quel point les phénomènes liés à la vie ont été et seront sans doute toujours marginaux dans l'aventure de la Terre.

Les événements qui sont à sa mesure – inversion du champ magnétique, ralentissement de la rotation autour de l'axe polaire, dérive des continents, alternance des périodes glaciaires et des périodes plus chaudes... – s'étendent sur des durées si longues qu'ils ne sont observés et décrits que longtemps après leur survenue. Ceux auxquels nous accordons une importance considérable, tels les cyclones, nous fascinent car ils perturbent le fonctionnement de nos sociétés, mais ils ne sont pour la Terre que des épisodes insignifiants ; ils ne la mettent nullement en danger. Même des changements aussi considérables que le réchauffement climatique n'ont pour elle que des conséquences limitées, vite absorbées par les cycles qui se succèdent depuis des milliards d'années.

Partout dans le cosmos des étoiles se créent, évoluent en entraînant leur cortège de planètes, et meurent. Le temps passant, l'univers s'enrichit d'atomes nouveaux tout en se refroidissant. Ce qui se produit dans notre galaxie, ou plus localement autour de l'étoile Soleil, ne présente rien d'inédit, sauf si nous focalisons notre regard sur le jardin où une serre protège les vivants. Là, une aventure apparemment unique s'est déroulée grâce à des molécules telles que l'ADN permettant de lutter contre le pouvoir destructeur du temps. Une évolution des espèces s'est produite faisant apparaître des lignées dotées parfois de performances nouvelles. Notre espèce en est un exemple, elle qui a pu accéder à la conscience d'être. Elle a ainsi été capable de participer à sa propre construction en se chargeant de transformer chaque individu humain en une personne.

Cette métamorphose a eu, depuis longtemps, quelques conséquences sur l'équilibre de notre jardin. Mais la disproportion entre les forces naturelles et celles que nous nous sommes attribuées est telle que notre présence et nos actions pouvaient, jusqu'il y a peu, être négligées. Il se trouve que cette désinvolture n'est plus possible. En quelques décennies, nous avons été contraints de modifier du tout au tout notre attitude à son égard. De voyageurs de passage, nous sommes devenus, sans l'avoir voulu, grâce à l'accroissement de nos pouvoirs, des locataires au long bail et responsables. Cette responsabilité concerne surtout les domaines où notre espèce peut se manifester ; c'est là que la rapidité des changements est la plus grande ; c'est donc là qu'il y a urgence. Ce qu'il faut sauver, ce n'est pas la planète elle-même, c'est le minuscule fragment d'univers où les vivants sont confinés, et surtout où des êtres sans pareil sont apparus, les humains.

Certes nos capacités d'action sont restées dérisoires face à la puissance des événements cosmiques, nous n'en sommes pas moins, en quelques siècles, devenus des partenaires jouant à quasi-égalité avec les phénomènes que la nature provoque au cœur de ce petit domaine. Un exemple peu évoqué est celui des usines marémotrices qui transforment en électricité une part de l'énergie cinétique de la Terre ; cela a pour effet de ralentir son tournoiement, mais ce prélèvement est trop faible pour que ce ralentissement puisse être mesuré. Avec ces usines, les humains ont été capables de mettre à leur service une source d'énergie bien cachée.

Les avancées de la science, plus rapides que jamais auparavant, ont nourri, notamment depuis deux siècles, l'imagination des inventeurs, qu'ils soient scientifiques ou techniciens. Le sort de l'humanité a été transformé par la thermodynamique, par l'électromagnétisme, par la physique nucléaire, tout récemment par l'informatique. Les conséquences ont été si spectaculaires que l'enthousiasme a balayé toutes les oppositions. Un mot symbolisait cette attitude, le mot progrès : lutter contre lui semblait inutile, était même présenté comme néfaste.

Cet élan a été sévèrement mis à mal par la découverte des effets secondaires de ces avancées techniques ; mais ils ne sont apparus que lentement. Il a fallu admettre que même les réussites les plus spectaculaires peuvent avoir des conséquences déplorables. Ainsi le succès semblait total lorsque, avant de conquérir les îles du Pacifique, les troupes américaines y éradiquèrent par le DDT les moustiques responsables de mille maladies. Vingt années d'utilisation systématique de ce produit mirent en évidence ses effets toxiques pour de multiples espèces, dont la nôtre. Son usage est désormais strictement réglementé. La solution miracle n'a pas tenu ses promesses.

La cause de cet échec est l'extrême complexité des interactions entre les forces qui se manifestent. Cette complexité est du même niveau que celle qui apparaît à l'intérieur des êtres vivants. Ce constat a conduit le biologiste James Lovelock à proposer en 1969 « l'hypothèse Gaia », du nom d'une déesse mère de nombreux dieux. Il a assimilé la planète à un ensemble doté de vie. Cette proposition, me semble-t-il, n'a guère de portée, car la vraie frontière séparant les objets, les sujets et les personnes n'est pas la possession ou non de la vie, mais l'accession ou non à la conscience. Même si la Terre est capable de réactions qui permettraient de la regarder comme vivante, rien ne manifeste qu'elle en soit consciente.

Cette conscience, cette capacité à connaître sa propre existence, à porter sur elle un regard critique est l'apanage de l'être humain, et peut-être de cette entité qu'est l'humanité elle-même.

Nous sommes capables de nous savoir être, cette performance fait de nous l'extrême pointe de l'avancée de notre univers vers la complexité. Nous avons vu que, malgré toutes nos réussites techniques, nous sommes assignés à résidence sur notre fragment de planète ; la désertion vers un ailleurs est impossible. Il nous faut donc adapter nos exigences aux contraintes naturelles. Or ces exigences, qui vont rendre ou non durable notre cohabitation avec la Terre, dépendent du regard que nous portons sur nous-mêmes.

La légende raconte que, au soir de la bataille d'Eylau, Napoléon, contemplant les dizaines de milliers de cadavres étendus sur la neige, s'écria : « Une nuit de Paris compensera tout cela. » Pour lui les soldats n'étaient que des objets que les mères produisent et que les généraux consomment.

Produire et consommer sont les fonctions fondamentales des êtres vivants. Les autres activités – manger, boire, déféquer, se battre, copuler, dominer… – sont au service du cercle dit vertueux qui assure la continuité des générations et maintient cette activité mystérieuse que l'on appelle la vie. Pour vivre, chaque individu doit consommer, chaque collectivité doit produire. Avec un tel regard, la prolifération des espèces, dont la nôtre, sur la planète n'est que la conséquence de processus physiques ou chimiques assez banals qui ont pu se développer grâce à quelques coïncidences favorables.

Si notre planète n'avait que ce résultat à présenter, elle ne mériterait pas que l'on prenne particulièrement à cœur ses mésaventures. Ce qui fait d'elle un cas particulier incomparable est la présence, dans ce que j'ai appelé son jardin, d'espèces qui ont été capables de remporter, dans leur lutte contre le temps, des victoires décisives. La plus ancienne, qui s'est produite il y a quelque trois milliards d'années, concerne tous les vivants, végétaux ou animaux. Ils savent déjouer partiellement les agressions de cet ennemi qu'est la durée en utilisant pour y parvenir le processus de la *reproduction* : un individu est remplacé par deux individus identiques ; ce qui apporte du nombre mais aucune novation.

Un nouveau processus s'est mis en place il y a moins d'un milliard d'années, la *procréation* : deux individus collaborent pour donner naissance à un être nouveau ; il se réalise à partir d'un tirage au sort de la moitié des patrimoines de chacun des géniteurs ; en routine, des êtres nouveaux sont systématiquement produits. Ce qui a abouti à l'extraordinaire diversité des espèces actuelles.

Parmi elles, une seule, la nôtre, a été capable d'un exploit inédit : chaque personne lutte, à chaque instant, contre les forces de destruction, contre la durée qui rapproche de l'inéluctable mort. Mais l'espèce utilise le déroulement du temps comme un allié dans la construction de la collectivité humaine. Après la reproduction dont ont bénéficié les premiers vivants et la procréation réservée aux êtres sexués, elle a franchi une étape nouvelle grâce aux possibilités générées par les rencontres entre individus. L'humanité, endossant simultanément le rôle de Galatée et celui de Pygmalion, a pu construire l'humanité.

Cette performance sans égale est l'aboutissement à la fois du hasard des mutations et de l'usage que nous en avons fait. La procréation, introduisant systématiquement un processus aléatoire dans la transmission entre générations, a provoqué l'apparition, entre d'innombrables innovations, d'un organe hypertrophié, le cerveau. Cette hypertrophie est survenue récemment, il y a quelques millions d'années, ce qui est bien court compte tenu du rythme de l'évolution. Elle a permis à cet organe de manifester des performances sans égales. La plus décisive a été la mise en place d'un réseau de communication infiniment plus riche que celui dont disposent nos cousins des autres espèces. Grâce à un langage d'une subtilité sans pareille, les rencontres entre humains peuvent provoquer une osmose intellectuelle, une fécondation croisée des intelligences, un enrichissement des participants ; les échanges permettent à chacun de développer, tout au long de son parcours, la personne qu'il construit. Les membres de notre espèce ont donc le privilège de ne pas seulement subir leur sort tel qu'il a été fixé par les caprices de la nature, mais de se donner à eux-mêmes un destin modulé par les liens qu'ils tissent.

Chacun des cadavres d'Eylau avait été un être humain qui, comme tous les autres, aurait pu participer à la définition de son devenir personnel. Mais, de gré ou de force, il a accepté de se soumettre à des volontés sur lesquelles il n'a eu aucune prise ; il a abandonné l'essentiel de son statut d'homme ; il a subi son sort ; il n'a été qu'un jouet ; l'Histoire l'a broyé. Une femme l'avait produit, l'Empereur l'a consommé. Tirant les leçons de la bataille, Napoléon a été cynique, mais il a voulu être lucide et sincère.

Si nous faisons, nous aussi, l'effort d'être lucides, nous devons admettre que, dans la réalité d'aujourd'hui, le regard porté par la société sur les personnes n'est hélas guère différent du regard que portait l'Empereur sur ses soldats. C'est à partir de cette lucidité qu'il nous faut tenter d'imaginer une autre humanité capable de tenir compte de deux évidences : d'une part la nécessité d'une gestion collective et raisonnable des richesses que la planète nous offre, d'autre part la nécessité de rencontres pacifiques et fécondes avec nos semblables ; d'une part l'humanité dialoguant avec la Terre, d'autre part les humains dialoguant entre eux.

Il se trouve que les structures politiques et sociales actuellement dominantes, celles de l'« Occident », ne respectent ni l'une ni l'autre de ces exigences. Les cadeaux de la Terre sont accaparés par un petit nombre de bénéficiaires, sans que cette appropriation arbitraire, source d'un inexcusable gâchis, puisse avoir la moindre justification. Quant aux rencontres entre personnes, elles sont systématiquement placées sous le signe de la lutte, de l'opposition, de la compétition, ce qui vide de sa substance l'échange avec l'autre. La gestion des rapports de l'humanité avec son milieu et des rapports de ses membres entre eux n'a été voulue ou imposée par personne ; elle est le résultat des réponses données tout au long de l'histoire aux difficultés successivement rencontrées par les diverses culture. Mais l'accumulation de choix tous séparément raisonnables peut parfaitement aboutir à une situation globale désastreuse.

Le contraste est terrifiant entre ce que pourrait être le destin de la plupart des humains aujourd'hui et la réalité du sort qu'ils subissent. Sans abuser des statistiques, rappelons quelques aspects de cette réalité. Pour la nourriture, alors que les besoins des organismes sont à peu près les mêmes pour tous, la Commission mondiale sur le développement a constaté que la consommation alimentaire moyenne équivaut à 3 400 calories par personne et par jour dans les pays développés, à 2 400 calories dans les pays en développement. L'alignement des seconds sur les premiers signifierait le dépassement des possibilités de la planète. Or cet alignement, sans même évoquer les droits de l'homme, est nécessaire si l'on veut éviter des tensions insupportables entre les gavés du Nord et les privés du Sud. Des progrès dans la production peuvent être espérés ; mais la limite risque d'être vite atteinte. La solution alternative sera une diminution de la consommation de ceux qui sont actuellement en situation de gâchis. Comme les habitudes en ce domaine font partie de la culture, elles ne peuvent être modifiées que lentement. Il est donc urgent de préparer les consommateurs occidentaux à une transformation de leurs régimes alimentaires.

Plus difficiles seront les rééquilibrages de la consommation des biens fournis par l'activité industrielle. Étrangement, les statistiques se résument par les mêmes pourcentages qu'il s'agisse de la consommation d'acier, d'énergie ou de papier. Les pays développés représentent un cinquième de la population de la planète ; ils consomment quatre cinquièmes du total de la production dans chacun de ces domaines ; reste 20 % pour ceux « en développement » qui sont pourtant quatre fois plus nombreux. Une répartition aussi scandaleuse n'a sans doute été voulue par personne ; elle est l'aboutissement de multiples décisions destinées à résoudre au mieux, une par une, les difficultés rencontrées. Cet émiettement est en lui-même néfaste car il ne tient compte que des contraintes de l'endroit et du moment. Personne, par exemple, n'est en charge des conséquences pour les générations à venir des décisions que nous prenons pour optimiser l'avenir immédiat. Les précautions récemment décidées pour la protection du climat sont sans doute venues trop tard. Elles illustrent la nécessité d'un rassemblement des responsabilités.

Insistons sur la signification de ces pourcentages : les habitants des pays les plus riches représentent 20 % de la population mondiale ; ils consomment 80 % des richesses disponibles. Autrement dit le « riche moyen » consomme seize fois plus que le « pauvre moyen ». Il s'agit là d'évaluations portant sur des ensembles si nombreux que les ordres de grandeur ne sont guère contestables. Certes, ces riches ont été plus productifs que les pauvres, mais le rapport de seize à un ne peut être justifié par l'écart entre les productivités. Si l'on affine cette comparaison en opposant non plus les revenus moyens de chaque groupe mais les fortunes des « très riches » et des « très pauvres », on découvre des écarts si scandaleux que les bénéficiaires eux-mêmes n'osent pas les justifier. Sur cette balance, il suffit de rassembler sur le plateau de droite un millier des champions de la fortune pour équilibrer le plateau de gauche où s'entasse le milliard des plus défavorisés. Le rapport n'est plus de un à seize, mais de un à un million.

Plus encore que les différences mesurées en euros ou en dollars, celles qui concernent la santé expriment l'opposition des destins dont doivent se contenter les humains selon les régions ou les milieux où ils sont nés. L'espérance de vie à la naissance est de quatre-vingt-trois années pour les femmes et de soixante-seize années pour les hommes en Europe occidentale ;

elle est de quarante-sept et quarante-cinq années en Afrique centrale. Les Africains sont donc actuellement privés d'une trentaine des années de vie que la nature, aidée par les humains, aurait pu leur donner. Devant tant de crimes, comment ne pas œuvrer à un changement radical ?

Ces inégalités face à la mort nous révoltent. Mais avant de lutter contre ce scandale, il nous faut regarder sans faux-semblants un crime à venir plus effroyable encore : la préparation du suicide collectif.

La préparation
du suicide collectif

L'apothéose des techniciens. Une logique nouvelle.
L'escalade nucléaire. L'humanité suicidée. Les États
voyous. L'Apocalypse probabilisée. Le refus du président français. Vers la paix.

Le développement de l'intelligence collective,
et surtout la conscience qu'acquiert chaque individu d'appartenir à un ensemble, l'humanité,
plus complexe que lui-même, ont permis aux
humains de lutter souvent avec succès contre les
pièges de la nature. Nous avons su nous protéger d'elle, la défier et parfois la soumettre à
nos exigences.

Mais les résultats ont été beaucoup plus limités
dans nos rapports avec nos semblables. L'histoire
des rencontres entre les collectivités humaines
est une longue série de conflits, chacun étant
souvent provoqué par les conséquences du pré-
cédent. Tous les citoyens ont appris comment leur

pays s'est peu à peu constitué en se défendant face aux attaques de ses voisins et a développé sa culture en grande partie en tirant les leçons de ces conflits. Les poètes ont glorifié les faits d'arme des guerriers, les prêtres ont appelé sur leur camp la bénédiction de Dieu, les ingénieurs ont mis au point les machines les plus efficaces pour détruire les ennemis. La société entière s'est construite par référence aux obstacles, le plus souvent des obstacles érigés par d'autres humains, qu'elle a dû surmonter pour assurer sa survie. Les lieux cités dans nos manuels d'histoire, d'Alésia au plateau du Vercors, doivent pour la plupart cette renommée aux batailles qui s'y sont déroulées. Les personnages dont on rappelle les vertus, de Vercingétorix au Soldat inconnu, sont ceux qui y ont participé. Aussi loin que remonte notre souvenir, nous découvrons des successions quasi ininterrompues de batailles ; elles ne s'arrêtent que pour disposer d'un temps précieux permettant de préparer les suivantes. Le bruit et la fureur ont le plus souvent empêché d'entendre les Hymnes à la Joie. Le paroxysme a été atteint au cours de la Seconde Guerre mondiale ; aujourd'hui, soixante années après sa fin, de nombreux peuples, dont le nôtre, participent à la préparation de celle que nous désignons abusivement comme la Troisième Guerre mondiale.

Abusivement, car il est très probable qu'elle sera totalement différente de tous les événements déclenchés jusqu'à maintenant par les humains et définis comme des « guerres ». De tous les dangers qui nous assaillent aujourd'hui, le pire est celui que l'humanité prépare activement contre elle-même.

La panoplie des moyens de destruction disponibles est désormais si étendue qu'il est illusoire de chercher à décrire un scénario réaliste pour le siècle qui commence. Si la catastrophe se produit, la réalisation sera de toute façon pire que l'imagination.

La dernière guerre s'est terminée sur une apothéose, celle des techniciens. Mis sur la piste des secrets du cosmos par quelques théoriciens, au premier rang desquels Albert Einstein, ils ont été capables de se rendre maîtres des plus puissantes des forces de la nature. Parmi ces forces, parfois spontanément déchaînées, la foudre semblait autrefois la plus menaçante ; elle mettait les humains au contact des puissances infernales. Chez les Grecs, la foudre n'était soumise qu'à Zeus, dieu des dieux. Il détenait seul ce pouvoir sans égal. Aujourd'hui, le moindre chef d'État, le moindre gourou animateur d'une secte terroriste peut menacer de destruction l'humanité entière en brandissant les millions d'éclairs produits par ses propres installations nucléaires ou achetés chez ceux qui savent les fabriquer.

L'accès à ce pouvoir transforme le statut de notre espèce dans le petit espace qui lui est assigné. Les humains devaient autrefois se contenter d'observer presque passivement le jeu de ces forces, qu'ils les regardent comme naturelles ou comme imputables à Dieu. Ils savent désormais les soumettre à leur volonté ; ils substituent le pouvoir humain au pouvoir des choses ou des dieux. Ils ne sont plus seulement ceux qui subissent les décisions venues de l'Olympe, ils l'ont escaladé et n'y ont rencontré qu'eux-mêmes. Pour reprendre la métaphore de la Bible, ils ont goûté le fruit de la connaissance, qui est aussi celui de l'efficacité. Ils lui ont trouvé bon goût.

Pour prendre la mesure des effets de cette mutation, une autre image, plus proche des réalités physiques, est celle de la surfusion de l'eau. Regardons un lac au repos sous un ciel calme ; lorsque la température diminue lentement son eau reste liquide ; à zéro degré, si rien ne bouge, elle reste encore liquide ; de même lorsqu'elle descend à − 1 ou même − 2 degrés, mais il suffit alors de la moindre secousse pour que, d'un coup, la totalité du lac se transforme en glace.

Cet événement soudain bouleverse toutes les interactions entre les molécules qui le constituent. Tout d'un coup, l'objet qu'est le lac a changé de nature, pourtant ses atomes sont restés identiques.

L'humanité vient de connaître, sans en avoir pleine conscience, un phénomène semblable. Son état est maintenant aussi différent de celui d'il y a un demi-siècle que l'eau liquide est différente de la glace ; cela est vrai pour les communautés comme pour chacun de leurs membres. Cette mutation a des conséquences qui obligent à remettre en cause la plupart des choix de nos sociétés, y compris ceux qui conditionnent notre survie.

Lorsque les termes des alternatives qui se présentent à nous sont aussi inacceptables, aussi insupportables l'un que l'autre, il est toujours possible de se réfugier dans l'absence de choix, la mort. Lorsque les voies possibles ne proposent rien qui permette d'envisager sereinement l'avenir, la tentation peut être grande de sortir du jeu, d'échapper à la soumission, de décider nous-même du dernier acte de notre destin. Le suicide nous évite de prendre des décisions, de proposer des réponses ; il se contente de gommer les questions, de nous réfugier définitivement dans le non-être, car la mort est irréversible.

Cet acte est par essence personnel, il est le fruit d'une volonté individuelle. Mais cette volonté peut être orientée par l'ensemble de la collectivité. Un exemple en a été donné par la population de l'île d'Okinawa à la fin de la guerre contre le Japon : influencés par les autorités, les Japonais présents, civils comme militaires, se sont tous jetés dans la mer du haut des falaises plutôt que d'accepter la défaite.

Ce comportement est l'argument principal de ceux qui désirent justifier l'utilisation des deux bombes nucléaires qui ont anéanti Hiroshima et Nagasaki : ces bombes ont mis un terme à la guerre et, tout compte fait, ont économisé des vies, dans les troupes américaines certes, mais aussi dans la population japonaise qui se serait, dans toutes les îles à conquérir, comportée comme à Okinawa. Considérer cet armement comme un facteur de paix est un pas qui a été allégrement franchi, alors que la lucidité la plus élémentaire nous contraint à voir dans ces outils porteurs de mort, fabriqués à grands frais, l'équivalent d'un nœud coulant prêt à être l'instrument du suicide de l'humanité.

Même en admettant que, malgré les deux cent mille morts immédiates, ces bombes ont, au total en 1945, diminué les pertes humaines, la suite des événements qu'elles ont déclenchés ne peut que générer la pire des angoisses. En fait, la décision d'utiliser ces bombes était un message adressé par les États-Unis moins à l'empereur du Japon, que l'on savait déjà prêt à capituler, qu'au tsar de l'URSS, dont la puissance était à son apogée. Mais cela, l'humanité ne l'a compris que bien plus tard. Ne pouvant accepter de ne pas être le plus fort, Staline donna aux physiciens russes les moyens de réaliser « la » bombe ; la première explosa en août 1949, quatre années seulement après celles des Américains.

À ce stade, il aurait peut-être été possible de mettre un terme à cette course folle ; malheureusement, il semble que les décideurs n'aient alors pas pris conscience de l'énormité du danger. En revanche, les peuples ont apporté leur soutien à l'appel de Stockholm, lancé en mars 1950, qui exigeait « l'interdiction absolue de l'arme atomique, arme d'épouvante et d'extermination massive des populations, et l'établissement d'un contrôle international ». En France, il a recueilli plusieurs millions de signatures, dont celles de Joliot-Curie, prix Nobel pour la découverte de la radioactivité artificielle, ou de personnalités aussi diverses que Picasso, Jacques Chirac ou Lionel Jospin.

Cette adhésion ne déboucha cependant sur aucune structure concrète capable de peser sur les choix des États. L'avancée des Soviétiques déclencha une escalade démentielle dans la capacité de destruction. Les États-Unis, soucieux de garder leur suprématie, mirent au point la bombe dite « H », à hydrogène, beaucoup plus puissante : elle anéantit une île du Pacifique en novembre 1952 ; l'année suivante l'URSS réussissait un exploit semblable.

Les protagonistes, auxquels se sont joints la Grande-Bretagne, la Chine, la France et quelques autres, voulaient avant tout n'être pas en retard d'une étape dans la course à la puissance ; ils raisonnaient selon la logique de toujours : pour être vainqueur, il faut être le plus fort. Sans lésiner sur les crédits, les États nucléarisés ont accumulé des stocks de bombes (accompagnés des vecteurs capables de les transporter partout sur la planète) auprès desquelles celle d'Hiroshima semble dérisoire.

Étrangement, ce processus s'est déroulé sans que les populations soient suffisamment informées pour pouvoir exprimer leur opinion, et surtout pouvoir réagir contre ce manque d'information. Les rares réflexions publiées à ce propos extrapolaient les leçons des guerres précédentes, notamment pour protéger les populations civiles ; elles manifestaient l'incapacité générale à prendre la mesure de la mutation qui s'opérait dans la logique même des conflits. Un exemple de ce décalage a été fourni par un pays qui se veut neutre, la Suisse, qui a décidé, un temps, de construire des « abris antiatomiques » dans tous les immeubles neufs, comme si ces caves améliorées pouvaient permettre aux citoyens de traverser sans encombre le passage de l'Apocalypse – la France n'est décidément pas la seule nation préparant le conflit d'avant. Tout s'est passé comme si les décideurs n'avaient que très lentement pris conscience des changements radicaux induits par l'armement nucléaire.

Les nombreuses simulations de guerres nucléaires, utilisant comme « modèles » des ordinateurs qui jouent le rôle de champs de manœuvres pour les futurs belligérants, prennent en compte des puissances de destruction très variées ; les hypothèses vont de quelques dizaines de kilotonnes (cas de la bombe d'Hiroshima) à plusieurs dizaines de mégatonnes, soit mille fois plus (cas des derniers essais américains réels dans le Pacifique et des derniers essais soviétiques en

Sibérie). En revanche, elles sont assez semblables en ce qui concerne la répartition géographique des cibles. Elles se bornent le plus souvent à prévoir des échanges de coups au but entre des puissances de l'hémisphère nord, ce qui est conforme à la distribution des populations sur la planète : 5,5 milliards d'humains au nord, seulement 1 milliard au sud. Mais, en cas de conflits réels, cette différence s'atténuerait ; peu à peu, les deux hémisphères seraient dans des situations voisines, notamment en ce qui concerne la radioactivité.

Dans de tels conflits, le concept de localisation perd une grande part de sa pertinence. Souvenons-nous des conséquences de l'accident de Tchernobyl : elles se sont étendues bien au-delà de l'Ukraine et de la Biélorussie. Paradoxalement, les belligérants d'un conflit nucléaire auront la capacité d'envoyer des fusées ayant une précision fabuleuse, les cibles seront atteintes à quelques mètres près, mais les destructions provoquées s'étendront de proche en proche à l'ensemble de la planète. Une guerre nucléaire sera nécessairement une guerre planétaire.

Ce changement d'échelle, transformant les effets locaux en effets globaux, concernera notamment les bouleversements du climat. D'après les simulations aussi bien soviétiques qu'américaines, l'énergie solaire parvenant aux plantes serait, après un conflit, réduite de 95 % sur d'immenses territoires, ce qui détruirait la base même des écosystèmes. Les plantes et les animaux subiraient des catastrophes en chaîne, la disparition d'une espèce provoquant en cascade celle des nombreuses autres avec lesquelles elle partage certaines étapes des processus de la photosynthèse.

Cette photosynthèse représente la principale source d'énergie de la biosphère. Une part, de l'ordre de 15 %, de cette énergie est utilisée pour maintenir en action ce processus ; si ce seuil minimal n'est pas atteint, la biosphère se détruit elle-même. Ce serait probablement le cas avec le nuage de poussières qui tournerait autour de la planète et s'étendrait sur toute sa surface semblable à un linceul ensevelissant la quasi-totalité des êtres que l'on disait « vivants ».

Ce nuage ferait chuter dramatiquement la température moyenne et réduirait l'ensoleillement ; chacun de ces changements a des conséquences propres, mais c'est leur interaction qui se révèle particulièrement désastreuse car les effets de l'un accroissent les effets de l'autre. Les récoltes notamment seraient sévèrement touchées par l'action simultanée du froid et de l'obscurité ; privés de nourriture, les herbivores mourraient de famine en grand nombre ; leurs cadavres seraient autant de ressources enlevées aux carnivores. Un effet semblable affecterait les océans où la base de l'écosystème, le phyto-plancton, est très sensible à l'obscurité ; sa raré-faction se répercuterait sur toute la chaîne des animaux marins. D'éventuels survivants de cette catastrophe ne pourraient donc compter sur cette source de nourriture, d'autant que d'in-nombrables marées noires déverseraient dans les océans des quantités de produits toxiques. Enfin sur les continents les incendies de forêts se multiplieraient, laissant pour longtemps une planète dénudée.

Il est bien inutile de poursuivre cette énumé-ration. On imagine difficilement qu'un humain conscient puisse minimiser le risque que font courir ces armes, ou qu'un responsable poli-tique puisse de sang froid envisager d'en brandir la menace.

Pourtant, c'est bien sur cette menace qu'est fondée la fameuse « dissuasion » si souvent évo-quée par les possesseurs de ces armes. Elle est présentée comme le summum du machiavélisme car elle fait de l'évocation d'une destruction réciproque l'argument décisif en faveur de la paix. Les matériels les plus meurtriers, les plus dévastateurs sont décrits comme des « armes de non-emploi » ; les grandes manœuvres diplomatiques se réfèrent à la stratégie *a priori* sympathique du « faible au fort ». Bien sûr, on peut espérer que les dirigeants des pays développés sont trop civilisés pour provoquer un désastre équivalant, au niveau de la planète, à un suicide collectif. Habitués aux rencontres personnelles, ils se connaissent les uns les autres ; unis par le sentiment d'appartenir à un même club de décideurs, ils voient dans les États développés auxquels ils s'affrontent plus des partenaires que des adversaires ; ils ont le sentiment de participer à un jeu collectif où ils respectent les mêmes règles. Malheureusement ce trop bel équilibre est à la merci des « États voyous ».

C'est là une expression que nous n'avons pas entendue à l'école mais l'histoire de l'humanité, telle que nous l'avons apprise, nous a préparés à cette forme de jugement entre les bons et les mauvais. Cette histoire est, pour l'essentiel, une succession de périodes de paix, dont on a peu de chose à dire, et de guerres qui se prêtent à des évocations de glorieux faits d'armes. « La guerre est, la paix n'est pas », écrit le philosophe Alain. En effet, la paix est définie par le dictionnaire comme une absence, l'absence des événements bien définis qui constituent l'état de guerre. Mais cette opposition n'est valable que pour les conflits classiques entre États ; les États voyous forment une nouvelle catégorie. Ce sont véritablement des États, ils sont capables d'assurer leur pérennité et de participer aux organismes internationaux, mais ils se rendent simultanément complices des actions de groupes terroristes. Leur objectif est défini : ils savent ce qu'ils veulent et ne se sentent nullement liés par les accords internationaux ou par les décisions de l'ONU. Leur comportement maintient sur l'ensemble de la planète un état de guerre larvée, feu de braises prêt à s'enflammer.

Reste à définir l'appartenance à cette voyouterie. La liste en est établie par ceux qui estiment ne pas en faire partie, ce qui la rend passablement arbitraire. Elle renvoie à des périodes de l'Histoire considérées comme obscurantistes. Car, si le mot « voyou » est d'usage récent, le concept vient d'un lointain passé : ainsi l'usage d'une arme nouvelle, l'arbalète, n'a été autorisé par le concile du Latran en 1136 que contre les non-chrétiens, une façon de définir ceux-ci comme des individus indignes d'être protégés, des participants à l'axe du mal, des voyous.

Il ne s'agit plus aujourd'hui de l'arbalète mais d'une arme d'une tout autre portée. Les moyens de communication sont tels que les secrets de fabrication de ces armes seront, dans un délai probablement court, à la portée de tous les intéressés et nul concile n'aura l'autorité nécessaire pour empêcher leur utilisation. Le risque est grand qu'un imbroglio politique provoqué par quelques États voyous ou par une erreur dans le maniement des fusées porteuses débouche un jour sur un désastre que personne n'aura voulu, mais que personne n'aura pu empêcher. En obligeant les États non-voyous à rester vigilants à propos du danger nucléaire, ces voyous pourraient du moins avoir un rôle utile en obligeant tous les dirigeants à rester en alerte, un état d'alerte qui est au cœur de l'équilibre nucléaire.

Mais cet état d'alerte participe aussi à l'instabilité de l'équilibre recherché. Il se trouve que, depuis soixante années, la paix armée n'a jamais dégénéré en véritables guerres mais, si faible soit-elle, la probabilité (désignons-la par la lettre p) qu'un tel accident se produise au cours d'une année chez l'un des États nucléarisés n'est pas nulle. La probabilité qu'aucun accident ne se produise, au cours du siècle qui commence, chez chacun de ces États, est de $(1-p)^{100}$, au cours du millénaire de $(1 - p)^{1\,000}$. En supposant que, malgré la prolifération nucléaire en cours, le nombre de ces États ne dépasse pas dix, la probabilité que ce siècle, ou ce millénaire, soit celui de la fin de l'humanité est égale à :

$$p(\text{siècle}) = 1 - \left\{(1 - p)^{10}\right\}^{100}$$

ou à

$$p(\text{millénaire}) = 1 - \{\ \}^{10\,000}.$$

La valeur de la probabilité élémentaire p dépend de la rigueur, de la continuité, aussi de la bonne volonté des États concernés. Il n'est jamais exclu qu'un extrémiste exalté opte, quelque part, en désespoir de cause, pour l'Apocalypse.

L'intérêt de cette formule rébarbative est qu'elle montre l'importance de la contribution au risque global des États les plus instables. Essayons quelques cas de figure.

Dans l'hypothèse où les dix États nucléaires supposés sont tous également sérieux et conscients de leurs responsabilités, ce qui se traduit par un paramètre p très petit pour tous, disons « p = un par million d'années », on obtient pour la probabilité de cette fin prématurée de l'humanité avant un siècle p = 1/10 000 et avant un millénaire p = 1/1 000 ; obsédés que nous sommes par le court terme, nous pouvons, avec cette hypothèse optimiste, estimer que ce risque, qui suppose une rigueur absolue et générale, est acceptable. Il correspond pourtant à un raccourcissement considérable de la durée accordée aux diverses espèces pour apparaître, évoluer, puis passer leur tour. Cette durée se compte, le plus souvent, en millions d'années.

En revanche, il suffit d'un seul État instable, pour lequel la probabilité élémentaire d'un accident, ou d'une erreur, ou d'une colère, est de p = 1/1 000 par an, pour que le risque centenaire soit de 10 % et le risque millénaire de 64 %. S'il s'agit d'un État vraiment voyou pour lequel le risque annuel a la probabilité p = 0,01, le risque centenaire monte à p = 0,64 et le risque millénaire à presque 100 %. Autrement dit, il suffit qu'un seul État nucléaire accepte le risque de provoquer la catastrophe générale avec une probabilité de 1 % par an pour que cette fin de l'humanité se produise presque certainement au cours de l'actuel millénaire.

La probabilité du suicide planétaire dépend donc surtout des comportements des moins raisonnables. Ceux-ci ne sont pas nécessairement des nouveaux venus du club nucléaire. Les anciens, qui sont aussi les membres du Conseil de sécurité, États-Unis, Russie, Grande-Bretagne, France et Chine, ont montré dans le passé leur capacité d'inconscience à ce propos, que ce soit les

Soviétiques installant des fusées à Cuba, les Américains des Pershing en Europe, ou le gouvernement français espérant l'aide nucléaire américaine pour se sortir d'affaire à Dien Bien Phu.

Lorsque l'on tente de suivre le déroulement logique de la pensée des décideurs qui ont, en un demi-siècle, doté l'humanité des moyens techniques de s'autodétruire, on constate le rôle central du concept de dissuasion. Les armes dites de destruction massive ne sont pas conçues et réalisées pour détruire l'adversaire, seulement pour accroître chez lui la peur d'être détruit. Tout est basé sur la capacité du meneur de jeu à faire croire à l'autre qu'il est, ou sera, capable de réagir, même au prix de sa propre destruction.

Il se trouve que pour la France cette capacité de provoquer la peur a été mise à mal par les réflexions publiées par le président Valéry Giscard d'Estaing, une fois à la retraite. Dans le deuxième tome de ses mémoires, il décrit pourquoi il aurait refusé de provoquer la « destruction mutuelle assurée » En dévoilant cette attitude personnelle, il a, à mon sens, fait preuve de sagesse, mais il a vidé de son pouvoir de dissuasion tout l'arsenal de destruction massive mis en place par notre pays.

Il décrit une simulation d'un cas où la question posée au président exigerait une réponse immédiate par oui ou par non. L'hypothèse de cette manœuvre, simulée avant la destruction du Mur de Berlin, est que l'armée soviétique entre un matin en Allemagne de l'Ouest et bouscule les forces alliées. Le président des États-Unis n'a pas donné l'ordre d'utiliser les armes nucléaires tactiques. Attendant une nouvelle poussée soviétique, le commandant des forces françaises demande l'autorisation d'employer, s'il le juge nécessaire, les armes nucléaires à faible portée dont il dispose. Le président autorise-t-il cet emploi ? Il décrit ainsi ses réactions : « J'imagine le déroulement des événements : les unités françaises tirent leurs fusées nucléaires à courte portée sur les armées soviétiques en territoire ouest-allemand. Les dernières forces allemandes renoncent au combat. Demain un tir nucléaire soviétique détruira l'ensemble de nos divisions et les bases de notre force aérienne en Alsace et dans l'Est. Le commandement soviétique nous menacera de représailles sévères en cas de nouveau tir nucléaire. Dans cette situation de semi-anéantissement de nos forces, avant même l'invasion de notre territoire, la décision de déclencher le tir stratégique et de provoquer la "destruction mutuelle assurée" apparaîtra comme le dernier geste d'un irresponsable[1]. » La décision est donc de refuser l'autorisation du tir nucléaire.

Cet exposé est suivi d'une phrase entre parenthèses : « Quoi qu'il arrive, je ne prendrai jamais l'initiative d'un geste qui conduirait à l'anéantissement de la France. » Ce « quoi qu'il arrive » est terrible, mais il est nécessaire. Souvent, lors de discussions sur la guerre et la paix, je me suis heurté à l'argument « si un nouvel Hitler se dressait quelque part sur notre planète nucléarisée, êtes-vous prêt à le laisser agir, plutôt que de déclencher une guerre qui risque de détruire l'humanité ? » Je n'en suis pas fier (et je demande au lecteur de ne pas me condamner trop vite) mais ma réponse est « oui ». Car l'important est d'assurer la poursuite de l'aventure humaine. Si totale puisse être l'emprise sur les consciences d'un nouveau nazisme, elle aura une fin ; un jour viendra où pourra reprendre la construction de l'humanité par les hommes, à condition que puisse être entretenue la flamme si frêle du besoin de liberté.

---

1. Valéry Giscard d'Estaing, *Le pouvoir et la vie*, vol. 2, Le Livre de Poche, 1992.

Oui, toute dictature a une fin, tandis que la mort est irréversible. Pactiser avec la première n'engage qu'un épisode de notre histoire, pactiser avec la seconde, c'est renoncer définitivement à la création de l'humanité par elle-même.

La règle première est de ne pas jouer avec la mort, même lorsque nous sommes tentés de l'utiliser pour nous venger. Giscard d'Estaing se risque à enlever un peu de force à sa réflexion en ajoutant, après son refus de l'emploi de l'arme nucléaire : « Si la destruction de la France était entamée par l'adversaire, je prendrais aussitôt la décision nécessaire pour la venger[1]. » On peut comprendre ce réflexe de vengeance mais si des événements semblables avaient véritablement lieu, cette vengeance ne serait qu'une blessure supplémentaire infligée à la communauté humaine.

À vrai dire, dans leur immense majorité les Français ne seront pas surpris par cette conclusion, qui décrit la seule attitude acceptable. Mais, si d'éventuels ennemis de notre pays en sont informés, c'est le rôle attribué à l'arme nucléaire qui sera vidé de toute substance

---

1. Valéry Giscard d'Estaing, *Mémoires*, *op. cit.*

Peut-être serait-il judicieux d'en tirer les conséquences dans la préparation de l'avenir. Puisque,
« quoi qu'il arrive », l'armement nucléaire français ne sera pas utilisé, il parait bien inutile de
lui consacrer encore des crédits. Pourquoi surtout ne pas le détruire ?

Certes, Valéry Giscard d'Estaing n'est plus en
position de prendre une décision de cette
ampleur. Mais il décrit comme un « irresponsable » celui de ses successeurs qui serait tenté
par l'Apocalypse. Par quelle aberration notre
peuple ne pose-t-il pas, en premier lieu, à tout
candidat au poste de président la question :
« Renoncez-vous aux armes nucléaires ? »

L'annonce d'une nouvelle stratégie pourrait
avoir des conséquences de grande ampleur sur
la place de la France dans le jeu international.
Elle aurait perdu sa capacité de dissuasion, mais
celle-ci ne fait plus peur à personne depuis
qu'un ancien président a « vendu la mèche ».
Notre pays ne pourrait plus se faire craindre,
mais il retrouverait la capacité de se faire
entendre, comme à l'époque où Montesquieu
anticipait les choix à venir : « Si je savais quelque
chose qui me fût utile et qui fût préjudiciable à
ma famille, je la rejetterais de mon esprit. Si je
savais quelque chose utile à ma famille, et qui ne
le fût pas à ma patrie, je chercherais à l'oublier.

Si je savais quelque chose utile à ma patrie et préjudiciable à l'Europe, ou bien qui fût utile à l'Europe et préjudiciable au genre humain, je la regarderais comme un crime[1]. »

Comme aimait à le répéter Théodore Monod, « préparer un crime, c'est déjà commettre un crime ». Les dirigeants des États dotés de l'arme nucléaire sont donc, selon Montesquieu, des criminels.

Pour les Français qui ont « une certaine idée de la France », la seule issue cohérente et honorable à l'impasse dans laquelle, comme beaucoup d'autres, nous nous sommes fourvoyés est de détruire en totalité son arsenal nucléaire, de déclarer la paix à toutes les nations et de proposer à l'ONU la mise hors la loi de ces armes. La France, forte de l'exemple qu'elle aura donné, pourra alors se présenter sans hypocrisie comme un artisan de la paix.

---

1. Montesquieu, *Mes pensées*.

L'effectif limite des humains

Crainte d'un excès d'humains. Malthus. Le cas de la France. L'ensemble de l'humanité. La crainte de la bombe P. Le tiers-monde. Le néo-malthusianisme. L'avenir des frontières.

Interrogeant l'avenir de notre espèce, il était inévitable de commencer par le danger le plus inquiétant, celui qui nécessite les décisions les plus urgentes : le suicide collectif rendu possible par les avancées de la science et de la technique. Semblable à un désespéré qui a dépensé ses dernières ressources pour se procurer une dose de cyanure et qui attend le moment favorable pour accomplir le geste décisif, l'humanité a consacré le savoir des meilleurs scientifiques et le savoir-faire des meilleurs artisans à produire des engins capables de semer la mort sur toute la planète.

Étrangement, la place réservée dans les médias à cette menace de disparition brutale est très limitée ; elle est moins souvent évoquée que les difficultés à venir provoquées par l'excédent de notre nombre. Il ne s'agit plus de la suppression brutale mais de l'étouffement progressif de l'humanité sous son propre effectif.

En effet, durant le dernier tiers du XXe siècle, la population mondiale a cru avec une rapidité inouïe, le rythme dépassait 2 % par an, ce qui correspond au doublement en 35 années, à la multiplication par 7 ou 8 en un siècle. Un tel rythme était évidemment incompatible avec les contraintes de la planète ; les démographes ont donné l'alarme, allant jusqu'à présenter cet accroissement comme l'équivalent d'une « bombe P », P comme population. Cette image est restée marquée dans l'opinion publique, qui semble plus prête à craindre l'excès du nombre des humains que leur disparition. Il est donc utile, après avoir décrit cette possible disparition, de préciser la réponse à la question : les humains sont-ils ou vont-ils être trop nombreux au point d'être victimes de leur fécondité ?

Il semble que la nature ait insufflé à chaque être vivant non seulement le réflexe de préserver sa propre vie, mais tout autant le réflexe de participer à la perpétuation du groupe auquel il appartient, que ce soit sa famille, sa tribu ou son espèce. Il est fréquent que les animaux se comportent en manifestant ce que les humains appellent l'« altruisme », une propension à faire passer l'intérêt collectif avant le sien propre : les parents satisfont les besoins des enfants avant les leurs ; des sentinelles sont disposées pour attirer sur elles les prédateurs et laisser au groupe le temps de s'enfuir. Si l'on accepte de décrire ce comportement en y voyant un objectif, celui-ci ne peut être que la préservation, au long de la succession des générations, du patrimoine génétique collectif.

Cette dotation est le véritable trésor biologique dont un ensemble vivant est dépositaire. Chez les espèces sexuées, nous y avons insisté, le mécanisme de la procréation fait apparaître des individus toujours nouveaux grâce à l'aléatoire des combinaisons ; mais les gènes restent toujours identiques d'une génération à l'autre (sauf mutation) malgré la diversité sans limite de leurs associations deux à deux.

Pour l'espèce humaine, l'existence d'un objectif collectif, d'un projet, n'est pas une hypothèse *ad hoc*, elle est un constat ; cette capacité à tenir compte de l'avenir peut même être présentée comme l'une de nos spécificités. Dans de nombreux domaines, c'est en fonction d'une intention pour demain que nous prenons une décision aujourd'hui, encore faut-il que l'objectif dépende de notre volonté. Ce qui n'était guère le cas autrefois pour la caractéristique pourtant fort importante qu'est le nombre des individus composant l'humanité.

La variation de ce nombre est la résultante de deux séries d'événements, les uns concernant la fécondité, les autres la mortalité. Or la naissance d'un enfant est longtemps restée un mystère lié de façon bien floue au comportement sexuel ; quant à la mort, si intense dans le groupe des jeunes enfants, elle était une fatalité devant laquelle on ne pouvait que s'incliner. Gérer l'effectif ne pouvait donc guère préoccuper nos ancêtres. Tout se passait comme si la nature se chargeait de préserver tant bien que mal l'équilibre entre les flux d'entrée et de sortie ; elle y parvenait assez bien puisque l'effectif humain est resté proche de 300 millions durant près de quinze siècles, de l'année zéro à la Renaissance.

Tout a changé depuis que les processus qui aboutissent à la naissance ou ceux qui aboutissent à la mort ont enfin été pour l'essentiel élucidés. Une naissance comme un décès sont maintenant des événements dont les diverses phases laissent place à une intervention humaine consciente. Le mystère a presque disparu ; la responsabilité des acteurs est donc devenue très lourde, que ce soit lors des événements eux-mêmes ou lors de leurs conséquences lointaines.

Nous savons de mieux en mieux comment agir, mais nous nous sentons désarmés devant la définition de l'objectif collectif. Faut-il tenter d'accroître cet effectif ou de le diminuer ? Faut-il tenir compte des optimums partiels au niveau du groupe, de la nation, du continent, ou raisonner à propos de l'ensemble planétaire ? Chaque collectivité répond en fonction de ce qu'elle estime être son intérêt propre. Ce n'est que récemment que la réflexion a concerné la totalité des humains.

En 1798, dans *Essai sur le principe de population*, publié par le pasteur anglican Thomas Robert Malthus, le problème de l'évolution de l'effectif de l'humanité a été pour la première fois posé dans sa généralité ; il a conduit l'auteur à une conclusion qui est un cri d'alarme. L'essentiel de son raisonnement repose sur l'opposition entre le rythme de l'accroissement du nombre des humains et le rythme de l'accroissement des biens qu'ils produisent. Le premier, admet-il, croît selon une progression géométrique, c'est-à-dire que l'accroissement est proportionnel, à chaque génération, à l'effectif déjà atteint, avec un coefficient multiplicateur d'une génération à la suivante qui, lui, est constant ;

tandis que le second croît selon une progression arithmétique, c'est-à-dire que l'accroissement lui-même est constant. Il en résulte que, les générations se succédant, les besoins en arrivent obligatoirement à dépasser les ressources. D'où des tensions et la réalisation d'un équilibre qui ne peut être fondé que sur l'élimination des plus faibles par la pauvreté, par les famines ou par les épidémies. Il est donc préférable, conclut-il, d'accepter, tout en le déplorant, le sort des plus faibles ; les aider ne pourrait que retarder les échéances et rendre les conflits plus aigus. Au-delà des phénomènes démographiques, Malthus se voulait surtout moraliste et luttait contre les idées véhiculées par la Révolution française, qu'il qualifiait de pernicieuses. Son argumentation, à laquelle il est si souvent fait référence, est-elle encore valable ?

L'Histoire ne lui a, jusqu'à présent, donné raison que pour l'effectif de l'humanité : il est exact qu'il a augmenté à une allure inquiétante. À son époque, cet effectif était un peu inférieur à un milliard. Un siècle plus tard, en 1900, il dépassait le milliard et demi. Aujourd'hui, il est supérieur à 6 milliards. La progression a donc été plus rapide encore que celle crainte par Malthus ; elle a été pire que géométrique : le coefficient multiplicateur a lui aussi augmenté, passant de 1,5 entre le début et la fin du XIXe siècle, à 4 au cours du XXe siècle. Il est clair que le maintien de ce rythme aboutirait à des prévisions irréalistes, 24 milliards à la fin du XXIe siècle ! Des événements décisifs feront donc nécessairement bifurquer cette évolution. La question est : ces événements seront-ils pilotés par les humains ou seront-ils subis par eux ?

Ce qui s'est passé au cours du XXe siècle ne permet guère de répondre tant l'évolution de ce nombre a été chaotique. L'exemple de la France illustre cette difficulté. La Grande Guerre a éliminé un million et demi de jeunes hommes dans une population qui comptait 40 millions de résidents. La paix revenue, des immigrations massives, en provenance notamment d'Italie et de Pologne, ont comblé le déficit dans certaines régions ; la propagande gouvernementale en faveur des familles nombreuses n'a en revanche eu qu'un impact très limité. Entre les deux guerres, la crainte d'une « dénatalité » hantait les autorités.

Après la guerre de 1939-1945, le comportement des Français à l'égard de la procréation a brusquement changé. Le sentiment que les années difficiles appartenaient au passé, que l'avenir était à bâtir, qu'une ère de paix était possible, a été à l'origine d'un baby-boom inattendu (soutenu il est vrai par une politique nationale d'aide aux familles). Il a commencé avant même que la reconstruction de l'économie ait été entreprise et a duré jusqu'au début des années 1970. Après quoi une période de quasi-équilibre s'est durablement installée avec une fécondité correspondant presque au remplacement des générations.

Comment en tirer des leçons pour imaginer ce qui se passera en France au cours du siècle qui commence et surtout pour extrapoler ces prévisions à l'ensemble de la planète ? La leçon la plus claire est que les perspectives démographiques sont entourées d'une grande marge d'incertitude, constat qui est largement confirmé par l'analyse de quelques cas particuliers ici ou là sur la Terre. La plupart de ces perspectives convergent vers un optimisme à court terme, modéré par une inquiétude pour le lointain avenir.

Après les hécatombes et les destructions de la Seconde Guerre mondiale qui n'a épargné que peu de nations, la plupart des peuples ont eu, comme en France, le sentiment que le cauchemar était terminé. Une confiance diffuse en l'avenir a incité les humains à faire comme si la prospérité allait s'accroître régulièrement. Les progrès médicaux aidant, l'effectif de l'humanité s'est accru à un rythme qui n'avait jamais été atteint. Au début des années 1970, le rythme global d'augmentation dépassait, nous l'avons vu, 2 % par an. La crainte était alors légitime d'une humanité bientôt étouffée par son excès de fécondité, mise en danger par une bombe P presque aussi inquiétante à long terme que les bombes A ou H.

La bonne nouvelle actuelle, dont on peut espérer qu'elle sera confirmée au cours des années à venir, est que la tendance semble, en ce début du XXIe siècle, se retourner ; le paramètre le plus significatif, le nombre moyen d'enfants par femme, diminue dans de nombreux pays, y compris dans les nations dont la religion dominante favorise la fécondité.

La première nation à prendre réellement la mesure de ce danger collectif a été la Chine : en 1949, lorsque Mao a pris le pouvoir, la population chinoise était de l'ordre de 500 millions d'habitants, à sa mort, en 1976, elle approchait du milliard, ayant doublé en 27 années. Un tel rythme était évidemment insoutenable ; s'il avait duré, le nombre des Chinois dépasserait aujourd'hui largement les 2 milliards. Les successeurs de Mao ont heureusement pris des mesures certes brutales mais qui ont été efficaces ; le niveau de 1,3 milliard vient seulement d'être atteint.

En raison même de cette brutalité, le cas de la Chine est bien connu ; moins spectaculaire mais tout aussi impressionnante a été l'évolution rapide de la fécondité dans les pays du Maghreb ou dans une nation dont on parle beaucoup, pour de tout autres raisons, l'Iran.

D'après les statistiques fournies notamment par l'ONU cet État comptait il y a vingt ans 54 millions d'habitants et son indice de fécondité, nombre moyen d'enfants par femme, dépassait 6, ce qui correspond à plus qu'un doublement de l'effectif à chaque génération. L'Iran faisait donc partie des nations qui avaient conservé le régime d'autrefois. Cependant, dans les dernières publications provenant de la même source, le tableau est totalement différent. Certes, comme prévu, la population a grandi et atteint 71 millions d'habitants, soit un tiers de plus qu'il y a vingt ans, mais l'indice de fécondité n'est plus que de 2 au lieu de 6. C'est évidemment ce dernier résultat qui mérite le plus d'attention. Il reflète un changement radical dans le comportement de cette population, changement d'autant plus remarquable que, durant les années 1970 et 1980, le pouvoir avait encouragé la natalité et abaissé l'âge au mariage (neuf ans pour les filles, douze pour les garçons). Ce n'est qu'en 1989 que le planning familial a été diffusé. Le résultat est spectaculaire : en quelques années, le nombre d'enfants par femme est tombé au tiers de ce qu'il était. Une analyse détaillée montre que le recul de la fécondité est semblable à tous les âges. C'est toute la société iranienne qui a participé à ce changement radical. Cette société, malgré les apparences, était donc prête à se précipiter dans la modernité.

En faisant ainsi le tour des nations, la conclusion est que, au cours du XXIᵉ siècle, les évolutions les plus contrastées sont presque partout possibles et à des rythmes qui risquent de surprendre les prévisionnistes. L'Histoire récente donne des exemples de tout, elle ne peut donc fournir des leçons sur rien. La Chine montre qu'une action imposée par le pouvoir peut obtenir les résultats espérés. En contraste, l'Iran montre que la diminution de la fécondité peut être obtenue malgré ce pouvoir ; l'influence des Églises, que l'on pouvait croire fondamentale, semble s'être évanouie dans les pays catholiques comme l'Italie ou l'Espagne ; contrairement à des idées reçues, les trois pays musulmans du Maghreb ont rapidement aligné leur fécondité sur celle de leurs voisins européens du nord de la Méditerranée. La seule perspective raisonnable est que le XXIᵉ siècle sera une période de grands bouleversements et que ceux-ci seront tout autres que ceux annoncés par Malthus.

Contrairement à ce qu'il avait prévu, la production des biens n'a nullement été en retard face à l'accroissement du nombre des humains, bien que celui-ci, nous l'avons vu, ait été multiplié par 6 en deux siècles. Cette erreur évidente de pronostic explique que ses théories ne soient guère prises en compte et que l'adjectif « malthusien » soit devenu synonyme de pessimiste. Son raisonnement est pourtant redevenu d'actualité, si l'on tient compte d'une contrainte qui n'était guère présente autrefois dans les esprits : la finitude de la planète.

Les discussions peuvent se prolonger sans fin sur le nombre maximal des habitants de la Terre. Les 6 milliards sont aujourd'hui dépassés ; les 8 ou 9 milliards de la fin du siècle devraient pouvoir être accueillis ; mais il semble que l'on sera alors bien proche de l'indéfinissable plafond de la capacité en humains de la planète. Impossible de ne pas entendre le constat fait en 1945 par Paul Valéry : « Le temps du monde fini commence. » N'essayons pas de prévoir quand ce butoir sera rencontré, au cours de ce siècle ou au cours du prochain ; il est en tout cas de bonne gestion de nous y préparer dès maintenant. Les équilibres naturels ne jouent plus leurs rôles, nous n'acceptons plus de nous associer avec la mort pour éliminer le surplus d'humains. Comment faire face à nos responsabilités ? Et surtout, comment entrelacer les contraintes physiques, géographiques, concrètes, avec les impératifs de respect des femmes et des hommes ?

L'aboutissement du raisonnement de Malthus était de proposer la continence sexuelle comme moyen de limiter la procréation. Un siècle plus tard, quelques visionnaires comme Paul Robin et Nelly Roussel tentèrent de répandre la doctrine dite néo-malthusianiste. L'objectif n'était plus de limiter la procréation mais de permettre aux femmes de décider elle-même de leur fécondité. Opposée à la propagande nataliste officielle, la Ligue de la régénération humaine qu'ils avaient fondée diffusait des moyens contraceptifs au nom de la libération des femmes : elles devaient échapper à leur emprisonnement dans leur fonction de génitrice. L'activité de cette Ligue, qui préfigurait avec un siècle d'avance les attitudes d'aujourd'hui, dut être interrompue lorsque la loi de 1920 a interdit toute propagande antinataliste.

Cet épisode met bien en lumière la difficulté de tenir compte simultanément des droits des personnes, des droits des familles et de l'intérêt collectif de l'humanité à venir. Dans les pays du tiers-monde (Asie du sud-est, Afrique centrale) menacés à la fin du XXe siècle par la « bombe P » et étouffés actuellement par l'excès des naissances, la propagande antinataliste est une nécessité et mérite l'aide de tous les États ; même s'ils doivent pour cela se mettre en contradiction avec la position officielle de l'Église catholique, position qui semble déraisonnable à la plupart des spécialistes. Mais si, dans quelques décennies, la baisse de la fécondité s'accélère dans les pays où ce mouvement est commencé, puis se généralise à toute la planète, les pouvoirs publics devront adopter l'attitude inverse, et cela non pas au nom de l'intérêt national mais au nom de l'intérêt planétaire. Nul ne sait si, au cours du siècle qui commence, l'humanité sera dans quelques décennies menacée par une croissance de son effectif trop rapide, étouffante, ou au contraire par une décroissance annonçant sa disparition. Dans les deux cas, une réaction globale sera nécessaire qui fera fi des intérêts spécifiques de tel groupe ou de telle collectivité.

Que le nombre des humains soit jugé comme excessif ou comme insuffisant, une même conclusion devra être adoptée à propos des frontières. Quelles que soient les définitions des groupes humains qu'elles distinguent, qu'ils soient considérés comme des peuples, comme des cultures ou comme des races, ces frontières devront être poreuses.

Ces « cicatrices de l'Histoire » sont le plus souvent les traces de la folie des humains ; ils se sont comportés comme s'ils étaient capables de répondre raisonnablement à la question : « À qui appartient tel territoire ? » Il aurait fallu commencer par l'interrogation : « À qui appartient la planète ? » La question n'a pas été posée. Au fil de l'Histoire, des situations résultant des hasards des batailles se sont stabilisées. Le résultat actuel ne correspond à aucun projet d'ensemble, il comporte une multitude de déséquilibres prêts à devenir des conflits. Il est surtout fondé sur l'illusion que l'ensemble des humains peut être réparti en entités différentes par nature, être classés en catégories fondamentalement hétérogènes. Nous savons maintenant que cette différenciation n'est fondée sur rien. Ce n'est pas là seulement une affirmation de la Déclaration universelle des droits de l'homme, c'est la conclusion de la recherche scientifique : tous les humains ont une origine commune

Ils sont donc tous également co-propriétaires de la planète, donc co-responsables de sa gestion. À la question : « À qui est confiée la planète ? » la seule réponse est désormais : « À tous les humains, y compris ceux qui ne sont pas encore nés ».

L'aboutissement de nos réflexions sur l'imprévisible évolution des effectifs est que « tout humain est chez lui partout sur la planète », ce qui implique une libération des mouvements migratoires.

Les conséquences de cette affirmation sont telles que plusieurs siècles sans doute passeront avant qu'elle ne devienne une évidence acceptée par tous. Pourtant nous pouvons constater que cette mise en commun est déjà réalisée pour ce que nous avons produit de plus précieux, les œuvres d'art. Pour elles, une grande part du chemin vers la mise en commun est déjà parcouru. Au Louvre ou à la National Gallery, je suis chez moi, ni plus ni moins que les visiteurs japonais ou britanniques. La Joconde à Paris ou la Pierre de Rosette à Londres ne sont la propriété ni de la France ni de la Grande-Bretagne ; ces États sont simplement chargés de leur préservation. Au passage, c'est la notion même d'appropriation qui doit être remise en question aussi bien entre les nations qu'entre les collectivités de divers niveaux.

Finalement, l'appartenance à tel ou tel ensemble humain est une caractéristique qui n'a de signification que pour quelques événements. Une carte d'identité est parfois bien utile, mais on peut espérer que l'occasion de la montrer sera de plus en plus rare. Une fois qu'on est reconnu comme un membre de notre espèce tout est dit. « Je suis un humain. » Cela devrait sur toute la planète devenir le sésame universel.

Technique sans éthique...

Quand l'efficacité précède la compréhension. L'apport de l'ADN. Des objets aux personnes. Unification du cosmos. Darwin et le transformisme. Mendel et le chaînon manquant. Réalité de la transmission. Les interrogations éthiques. Court terme et long terme. La métamorphose *in utero*.

Les catastrophes qu'entraînerait un conflit nucléaire sont la conséquence directe d'un des plus merveilleux bonds en avant de la science : la découverte par Albert Einstein en 1905 de l'équivalence entre la matière et l'énergie. Il n'a fallu que cinquante années pour que ses idées, exprimées initialement par des équations dans une revue de physique théorique, aient pour conséquences concrètes les premiers champignons atomiques et les ruines d'Hiroshima et Nagasaki. En comprenant les processus naturels générés par les interactions entre les particules élémentaires, les physiciens ont pu les orienter, en devenir les maîtres.

Un cheminement semblable a été suivi par les biologistes qui semblent avoir pris le relais avec un demi-siècle de décalage. C'est en 1953 que Crick et Watson découvrirent le rôle d'une molécule, l'ADN, qui permet un regard unifié sur l'ensemble des êtres que l'on dit vivants. C'est le concept de vie qui est alors revisité ainsi que la distinction entre les objets inanimés et les êtres vivants. Cette distinction n'est plus fondée sur les performances que ces objets et ces êtres peuvent manifester, mais sur la présence en eux de cette molécule. Ce qui implique une révision de nombre d'idées reçues et met en doute l'opportunité de certains actions : en biologie comme en physique, des découvertes aussi enthousiasmantes que $E = mc2$ peuvent déboucher sur l'horreur.

Cette molécule ADN est en effet capable d'un exploit inouï : réaliser un double d'elle-même. Cet exploit résulte, sans mystère, de sa structure composée de deux brins entrelacés, en forme de double hélice. Les interactions entre les atomes qui constituent ces brins peuvent provoquer leur séparation, puis la reconstitution par chacun de son complémentaire. Le processus de cette copie conforme n'est pas plus énigmatique que nombre d'autres réactions chimiques qui donnent parfois l'impression d'être orientées vers un objectif, c'est-à-dire l'illusion d'être vivantes.

La créativité chimique peut être spectaculaire. Un exemple en est donné par la réaction de Belouzov-Zabotinski : elle produit une horloge chimique sous la forme de couleurs se succédant selon un cycle régulier, comme si elles définissaient un rythme. Il ne s'agit que de réactions déterministes, mais le phénomène apparent est proche du comportement de cellules considérées comme vivantes. Une continuité apparente, de l'inanimé au vivant, est ainsi établie ; elle incite à donner de la vie une définition concrète, échappant à la tautologie du dictionnaire. Ainsi, pour *Le Robert*, « la vie est la propriété essentielle des êtres organisés qui évoluent de la naissance à la mort ». Ce recours à la mort pour définir la vie est signe d'une difficulté non résolue : la frontière entre inanimé et vivant devient poreuse. Mieux vaut qualifier de « vivants » les ensembles chimiques qui utilisent les pouvoirs de l'ADN.

Lorsque le classement des éléments du cosmos englobe les humains, nous ne pouvons échapper à un trouble qui remet en cause notre définition de nous-mêmes. Appartenons-nous à la même catégorie que les animaux, que les végétaux, que les objets dits inanimés ? La réponse peut sembler trop abrupte lorsque le poète François d'Assise nous présente la goutte d'eau comme notre sœur. Nous cherchons des caractéristiques à partir desquelles nous pourrions définir un fossé qui nous séparerait, nous les humains, des autres éléments de l'univers. Peine perdue : celui-ci a produit tout ce qui nous entoure, avec les mêmes forces, les mêmes réactions qu'il a utilisées pour nous produire nous-mêmes. Cette unification est imposée par notre raison, mais nous ne pouvons échapper au besoin d'être fondamentalement autre. La goutte d'eau, l'orchidée, ce sont mes sœurs, mais l'important est ce qui me sépare d'elles.

Les réflexions à ce propos ont été popularisées par Charles Darwin, naturaliste anglais. Il a apporté dans un livre paru en 1859 une moisson d'arguments en faveur de la théorie du transformisme qui avait été proposée au XVIIIᵉ siècle par Montesquieu, puis par Buffon, et généralisée par Lamarck. Il s'agissait de tirer les conséquences d'une observation évidente : la similitude de certains organes ou de certains processus biologiques chez des animaux d'espèces différentes. Il suffit de mettre côte à côte un squelette de chien et un squelette de phoque pour imaginer qu'ils ont une origine commune lointaine, bien qu'ils soient classés dans des catégories animales très distinctes.

Depuis, diverses disciplines scientifiques ont apporté des comparaisons qui, toutes, sont favorables à cette hypothèse. L'embryologie a révélé la similitude de certaines phases du développement de l'embryon chez les poissons et chez les mammifères ; la biochimie a montré la quasi-identité, pour de nombreuses espèces, de substances telles que l'hémoglobine qui ont, pour toutes les espèces, la même fonction ; l'argument décisif a été fourni au milieu du XXe siècle par la génétique, qui a montré que le code qui gère la correspondance entre la molécule ADN et les acides aminés dont elle définit l'ordre est le même dans la totalité du monde vivant. Il est raisonnable de penser que ce code génétique est apparu très tôt dans l'histoire des vivants et n'a pu changer depuis, étant donné son rôle central dans tous les métabolismes.

Cette unité fondamentale de l'ensemble des objets ou des êtres que nous qualifions de « vivants » est à l'opposé de ce qu'avaient décrit les cultures judéo-chrétienne et musulmane. Elles admettaient, c'est la thèse *fixiste*, que les diverses espèces ont été créées séparément par le Créateur et qu'elles sont restées identiques à leur état initial. Elles fondaient cette affirmation sur une interprétation littérale de certains passages de la Bible ou du Coran et ont réagi vivement contre l'hypothèse *transformiste* qui est pourtant cohérente avec toutes les observations.

Cette vivacité s'explique cependant moins par l'opposition aux textes sacrés (il ne s'agirait alors que d'un problème de traduction et d'interprétation plus ou moins libre ; faisons confiance aux exégètes) que par la présence de notre propre espèce dans cet ensemble unifié. Faisons-nous, nous aussi, partie de l'arbre généalogique des êtres terriens au même titre que les baleines ou les papillons ? Répondre par l'affirmative ouvre la voie à des conséquences vertigineuses. On comprend l'hésitation des contemporains à qui était proposée une telle remise en cause, d'autant plus que le raisonnement de Darwin comportait une faille de grande ampleur. Il est nécessaire d'en préciser l'importance.

Une fois admis avec Darwin la thèse transformiste selon laquelle les caractéristiques d'une espèce peuvent se transformer lentement au fil des générations, il reste à préciser les processus qui participent à cette transformation en réalisant le « passage du témoin » lors de la transmission du patrimoine biologique, de géniteur à engendré. Tant que cette étape n'est pas décrite avec lucidité, il n'est pas possible de fournir une hypothèse solidement argumentée expliquant le fait de l'évolution.

Or Darwin, comme tous ses contemporains, ne disposait d'aucune information sur l'essentiel de ce processus. L'ignorance à ce sujet était alors générale. Que se passe-t-il dans le secret des cellules lorsqu'un être nouveau est conçu ? Personne ne disposait du moindre début de réponse, à tel point qu'une longue querelle a pu opposer les spermatistes, affirmant que le futur bébé est préfabriqué dans un spermatozoïde, et les ovistes, l'imaginant tout fait dans un ovule. L'étrange théorie de l'emboîtement supposait même que tous les individus passés, présents et à venir appartenant à une même espèce ont été créés simultanément dans une cellule initiale à l'intérieur de laquelle les futures générations étaient emboîtées comme des poupées russes. Le sentiment que la procréation était un mystère définitif a fait écrire à Condorcet dans l'Encyclopédie que jamais sans doute il ne serait dévoilé par la science.

Sans prendre parti à ce propos, Darwin se contente d'admettre, « au nom du principe de l'hérédité », que les caractéristiques des descendants sont semblables à celles des géniteurs, hypothèse qui lui permet de développer la théorie de l'« évolution par la sélection naturelle ». Le raisonnement est simple : les individus ayant, par chance, des caractéristiques favorables, compte tenu de l'état de l'environnement, ont des descendants plus nombreux que la moyenne ; ceux-ci leur ressemblent et répandent ces caractères dans la population ; celle-ci évolue donc et s'adapte à son milieu.

Malheureusement, cette explication insère une faille dans sa théorie car elle est tout aussi fausse que celle proposée un demi-siècle plus tôt par Lamarck. Ignorant lui aussi la réalité du processus de la transmission, il avait admis que celle-ci apportait à l'individu engendré les caractères acquis, tout au long de leur vie, par les géniteurs. Cette hypothèse a été prise au sérieux et a même fait l'objet d'expériences : on a, à de nombreuses générations de souris, coupé la queue en espérant engendrer des souris dotées de ce caractère acquis qu'est l'absence de queue ; le résultat a été négatif, ce qui nous paraît aujourd'hui une évidence.

Il est souvent fait allusion aux « chaînons manquants » dans la séquence des espèces. La vision d'une série de « fixations » ayant marqué les diverses phases de l'évolution enlève à ce concept une grande part de son sens. En revanche, le raisonnement de Darwin comportait bien un blanc à propos de la transmission entre générations. C'est à ce sujet que l'on peut évoquer le manque d'un chaînon, non dans l'arbre reconstitué, mais dans l'argumentation logique.

Or le secret si bien caché de la procréation a été découvert, six années seulement après la publication de l'œuvre de Darwin, par un moine d'un monastère de Brno (Moravie), Grégor Mendel. Tous les éléments d'une théorie synthétique étaient alors rassemblés, expliquant l'évolution à partir du mécanisme de la transmission. Malheureusement, personne ne s'en est avisé, car la découverte de Mendel est restée confidentielle jusqu'en 1900.

Expérimentant sur des pois – mais sa description est valable pour toutes les espèces sexuées, végétales ou animales –, Mendel a totalement renouvelé la problématique de la procréation. Il a montré que les diverses caractéristiques apparentes d'un individu sont sous la dépendance non pas d'un ensemble d'informations, mais de deux ensembles provenant chacun d'un de ses deux géniteurs. Cette double commande donne un regard radicalement renouvelé sur « ce » qui est transmis par les gamètes (ovule et spermatozoïde) lors d'une procréation ; « ce » n'est pas une série de caractéristiques, telles que la couleur d'un pois ou le groupe sanguin d'un humain, mais une série de facteurs – on dit aujourd'hui de « gènes » – qui gouvernent ces caractéristiques.

Pour procréer, chaque géniteur envoie la moitié des gènes qu'il avait lui-même reçus. Là se situe, nous l'avons vu, l'événement qui a fait bifurquer, il y a sans doute moins d'un milliard d'années, l'histoire des vivants : la reproduction (un individu se divise et en produit deux identiques) a été remplacée par la procréation (deux individus s'associent pour en produire un, qui est nécessairement nouveau). L'essentiel dans ce constat est l'intervention de deux acteurs dont le rôle a été longtemps méconnu, les gamètes, ces deux êtres vivants qui introduisent une étape supplémentaire entre les géniteurs et l'individu engendré.

En limitant cette séquence au jeu de trois acteurs (les parents et leur petit), les premiers observateurs ne pouvaient que constater leur incapacité à expliquer la série des événements. En effet, ils ignoraient les étapes principales : les deux tirages au sort de la moitié des gènes parentaux, puis la reconstitution d'un ensemble complet de gènes. En revanche, la copulation, étape qui tient tant de place dans notre imaginaire, n'est en réalité qu'un détail technique secondaire.

La lucidité acquise peut déboucher sur l'efficacité. Nous en avons eu un exemple il y a trente ans, dans le domaine de la médecine, avec notre victoire contre le virus de la variole, qui a aujourd'hui disparu alors qu'il tuait chaque année des millions d'enfants. Avec l'apport de la génétique, de nouveaux succès peuvent être attendus. L'enthousiasme cependant ne peut se donner libre cours car les objectifs sont rarement clairs tant les effets des facteurs en jeu sont enchevêtrés.

La notion même de bons ou de mauvais gènes est souvent floue. Un exemple en est donné par la drépanocytose, cette maladie fréquente dans certaines populations vivant dans des zones impaludées. Elle est liées à un gène S qui provoque cette affection chez les personnes qui l'ont reçue en deux exemplaires, les homozygotes (SS), alors que ceux qui n'en ont reçu qu'un exemplaire, les hétérozygotes (SN), non seulement ne manifestent pas cette maladie, mais semblent protégés contre le paludisme : comment qualifier ce gène ? Est-il un bon ou un mauvais gène ? Si l'on est capable un jour de l'éliminer, une cause de mortalité aura disparu, mais la population aura perdu une protection contre le paludisme. Est-ce vraiment un gain ? Face à la plupart des possibilités d'intervention, nous devons reconnaître notre incapacité à faire un choix entre les conséquences à court terme et les conséquences à long terme. Or notre connaissance des diverses étapes de la transmission des gènes d'une génération à la suivante nous permet d'intervenir aux diverses phases du processus. Nous savons agir, mais avec quel objectif immédiat, et surtout avec quel objectif lointain ?

Le projet le plus fantasmagorique est la reproduction à l'identique d'un être humain, comme cela a été tenté et parfois réussi pour des animaux. Ce clonage consiste à remplacer le noyau d'un ovule produit par l'individu A par le noyau d'une cellule somatique d'un autre individu B ; celui-ci sera ainsi doté d'un « vrai jumeau », plus jeune que lui. Dans une voie semblable, la multiplication de la cellule ayant reçu un noyau venu d'ailleurs peut être bloquée après quelques étapes et fournir un objet de recherches potentiellement riche de découvertes ; peut-être pourra-t-on ainsi lutter contre les maladies de la vieillesse.

Il est clair que de telles perspectives posent des problèmes qui ne sont pas seulement techniques.

Les décisions à prendre devront être délibérées aussi bien par des philosophes que par des biologistes, par des psychologues que par des citoyens. Le danger viendra, dans notre culture, non seulement du rôle de l'argent, mais de l'appât de la gloire.

Face aux problèmes éthiques, les décideurs seront dépourvus d'arguments irréfutables pour préciser par exemple le statut de l'embryon aux divers stades de son développement. Les gamètes, qui sont dotés chacun de la moitié d'un patrimoine génétique humain, sont unanimement affectés à la catégorie des objets : ils sont certes vivants mais n'inspirent pas plus de respect qu'une des innombrables cellules de la flore intestinale ; à l'autre extrémité du processus, les bébés prêts à naître sont évidemment de la catégorie des humains. Comment passer raisonnablement et sans trop de discontinuité de l'étape de la conception à l'étape de la naissance ?

La définition biologique du futur bébé est définitivement fixée dès l'instant initial ; mais la réalisation des organes ou la mise en fonction des divers métabolismes se prolongent bien après la naissance.

Tant qu'ils n'ont pas fusionné, les deux gamètes porteurs des informations initiales sont des êtres vivants autonomes ; ils ne sont nullement des membres de notre espèce ; nous ne ressentons à leur égard aucune solidarité. Nous pouvons les manipuler ou mêmes les jeter sans le moindre respect. Ils sont les équivalents de banquiers à qui chaque génération confie son trésor génétique, à charge pour eux de le transmettre à la génération suivante.

À peine fabriqués par un organisme adulte, ils sont condamnés par la nature à une mort rapide, sauf dans le cas rarissime où ils rencontrent un gamète de l'autre sexe, fusionnent avec lui et disparaissent sans laisser de cadavre.

Aussitôt réalisée cette fusion, les événements prennent un cours nouveau. Ils donnent le départ à la démultiplication de la cellule et à la différenciation des divers clones qui en résultent ; chaque cellule reconstitue un ensemble complet d'informations ; chacune de ses caractéristiques est sous la dépendance d'un gène paternel et d'un gène maternel ; un embryon, puis un fœtus se développe, et décide un jour de naître. Le passage du geste déclencheur qu'est la conception, dont le souvenir n'est guère accessible, à l'apothéose qu'est l'arrivée d'un bébé, a toujours été une période de grand mystère :

comment ces modestes gamètes peuvent-ils être porteurs d'un si glorieux avenir ? Comment leur statut d'objets vivants peut-il se transformer en statut d'humains dignes du plus grand respect ? Ce respect doit-il nous interdire d'intervenir lorsque nous sommes témoins d'erreurs de la nature (ou de ce que nous considérons comme des erreurs) ?

Les avancées techniques nous ont permis de découvrir ce que personne n'avait osé encore imaginer, les stades successifs du développement ont été dévoilés, les méthodes permettant de modifier le déroulement des métabolismes ont été mises au point. Mais les réponses aux questions que nous nous posons sont toujours aussi arbitraires. Il ne s'agit plus de savoir comment faire pour obtenir tel résultat, mais de décider s'il est légitime de le faire. La lucidité permet de mieux poser la question ; elle ne dicte pas la réponse.

Tel est notamment le cas pour notre attitude à l'égard de l'enfant *in utero* : doit-on le considérer comme un objet fait de l'addition des deux objets qu'étaient les gamètes, ou comme un bébé, un être humain à qui provisoirement manquent quelques fonctions ? Aux deux extrémités la réponse est claire : le statut des gamètes est celui d'une chose, le statut d'un bébé prêt à naître est celui d'un humain. Mais comment passer de façon continue de l'un à l'autre ?

Pour proposer une réponse, on peut se référer au fait que les informations nécessaires pour réaliser un membre de notre espèce sont apportées par les deux gamètes prêts à fusionner. Mais elles ne sont pas suffisantes pour réaliser une personne dotée de conscience. La capacité d'un humain non seulement à être mais à se savoir être est conditionnée par son insertion dans la collectivité humaine. Ce sont ses rencontres avec des personnes qui font éclore en chacun une personne.

Le produit immédiat de la fusion ne peut alors être considéré comme une personne, puisqu'il n'a encore participé à aucune rencontre. La métamorphose ne se produit que plus tard, lorsque la future maman ressent une présence en elle et provoque, par cette sensation, la première rencontre entre elle et son enfant.

*
* *

Que conclure ? L'urgence est sans doute de ne pas conclure trop rapidement, et de ne rien engager qui soit irréversible. Nous venons, avec la génétique, de nous donner des pouvoirs exorbitants nous permettant de transformer, selon notre bon plaisir, la réalité biologique des membres de notre humanité. Cette réalité n'est qu'un objet parmi la multitude des aboutissements auxquels est parvenu notre univers. Cet objet est localement entre nos mains. Nous pouvons réorienter l'évolution qui l'a conduit jusqu'à son état actuel, mais nous sommes incapables de prévoir les effets lointains de nos actes. Ce qui est inquiétant est la légèreté avec laquelle les humains se sont jusqu'ici comportés lorsqu'ils se sont donné de nouveaux pouvoirs. Ne soyons pas aussi stupides dans la gestion du pouvoir génétique que nous l'avons été dans la gestion du pouvoir nucléaire.

Intégrisme économique

Crise ou mutation. L'indéfinissable valeur. Rôle de la finitude. Les assignats. La croissance : une drogue. Statistique et réalité. Les déchets, comment s'en débarrasser ? Plus est en nous. Richesse de la décroissance.

Les dictionnaires peuvent parfois révéler les évolutions de l'opinion. Dans *Le Robert* en six volumes publié en 1980, il y a trente ans, le mot « économie » a droit à une page entière sur deux colonnes et à vingt-trois citations. Le mot « écologie » doit se contenter d'une ligne et demie et aucune citation. Cette différence de traitement serait probablement inversée si le rédacteur voulait être cohérent avec l'usage de ces deux termes aujourd'hui. Le premier évoque les malversations de quelques banquiers et les erreurs grossières des décideurs au plus haut niveau dans la gestion des richesses disponibles ; le second décrit les efforts tardifs de quelques pionniers conscients des impasses où nous enfoncent ces erreurs ; ils n'avaient pas la parole, ils commencent à être entendus.

L'été 2008 a été marqué par une démonstration en vraie grandeur des méfaits d'un mécanisme de destruction caché au cœur du système économique des pays développés. Les multiples sujets d'angoisse qui auraient pu alors obséder nos contemporains – le possible anéantissement nucléaire, l'épuisement des ressources de la planète, l'accumulation des déchets radioactifs... – étaient toujours aussi menaçants ; dans toutes les directions un feu rouge semblait barrer la route de l'humanité. Mais, au long de cet été, tous ces dangers ont été occultés par les malheurs de quelques grandes banques ou compagnies d'assurances américaines dont les millions de clients se sont trouvés ruinés au terme de manipulations financières dont ils ne pouvaient comprendre les mécanismes.

De ces mésaventures, dont les spécialistes affirment maintenant qu'elles étaient les conséquences inévitables des comportements des financiers, il devrait être facile de tirer les leçons, car il ne s'est agi que d'erreurs commises par des humains ; la nature n'y est pour rien. Nombre de grandes catastrophes, comme celle du *Titanic*, qui ont marqué l'histoire de nos cultures étaient à responsabilité partagée entre les forces de la nature et les humains. Il était possible d'incriminer des coïncidences malheureuses : à quelques mètres près, l'iceberg aurait pu ne pas heurter le paquebot. Cette fois, à Wall Street ou dans la City, seuls des humains sont impliqués. Ils ont, de leur propre initiative, mis en place un système qu'ils ont cru capable de créer de la richesse simplement en échangeant des signatures sur des papiers ou sur des écrans d'ordinateurs, à la façon dont en famille on joue avec passion au Monopoly.

À la réflexion, il est peu probable qu'ils y croyaient vraiment. Depuis de nombreuses générations ils savaient que, pour créer de la richesse, il faut des idées, du travail et des outils ; des paraphes sur des documents imprimés peuvent tout au plus déplacer les richesses, non les créer. Les clients des banques ont été semblables aux publics naïfs qui, dans les foires, sont séduits par les promesses des bonimenteurs. Ils ont confié leur fortune à des financiers, ceux-ci l'ont convertie en prêts qui ne seront jamais remboursés. L'affaire aurait dû rester au niveau des épisodes fréquents, si bien décrits par quelques romanciers, qui agitent les Bourses et les boursicoteurs, et permettent aux plus malins de plumer quelques collègues. Cette fois, le retentissement a été planétaire, car l'extrême interdépendance des économies et surtout la complexité du réseau des causes et des effets ont provoqué des désastres. Cette complexité est telle que les réactions de cette immense machine ont échappé à la volonté de ceux qui la manipulaient. Elle est apparue capable de projeter dans la misère des foules immenses, victimes de l'organisation aberrante des rapports entre les humains. Les manipulateurs eux-mêmes se sont trouvés dans le camp des victimes. Ahuris de se voir soudain la tête dans un nœud coulant, ils ont pu craindre qu'un compte à rebours d'un genre nouveau ne mette un terme à l'aventure de l'espèce ; les peuples allaient-ils mourir de faim à côté de greniers emplis, mourir de froid à côté de maisons vides, faute de pouvoir rembourser leurs dettes ?

Personne, sans doute, n'avait délibérément mis en place les conditions de cette expérience ; mais maintenant qu'elle a eu lieu, il est utile d'en tirer les enseignements. Et, pour commencer, de redéfinir quelques mots au sens imprécis qui camouflent la réalité au lieu de la décrire.

Tel est le cas pour le terme de « crise », constamment utilisé.

Il caractérise généralement un épisode, dont le contenu est variable, dont la durée peut être plus ou moins longue, mais qui comporte toujours un début et une fin. Face à une « crise de larmes » ou à « une crise de fièvre », il est parfois suffisant d'attendre que les choses s'arrangent d'elles-mêmes. Après la pluie le beau temps. Employer ce mot « crise », c'est marquer notre confiance en la stabilité globale des équilibres auxquels nous participons. Tel ne semble pas être le cas pour les événements présentés comme « crise économique de l'été 2008 ». Selon les gens du métier, elle ne ramènera jamais à l'état initial les rapports complexes entre les trois entités que sont, d'une part l'ensemble des humains, d'autre part la richesse qu'ils ont accumulée et continuent à accroître, enfin la monnaie qui permet d'échanger cette richesse, monnaie qui est gérée par les organismes financiers. Une transformation radicale et surtout irréversible de ces rapports a eu lieu. Devant de tels événements, les biologistes utilisent le mot « mutation » : il signifie que les métabolismes participant à cet épisode s'engagent dans une direction nouvelle ; le cours de leur histoire bifurque, ce qui a des conséquences sans commune mesure avec celle du passage d'une crise.

Pour tenter d'expliquer « la mutation économique de l'été 2008 », péripétie qui a mis en interaction de nombreux facteurs, il est tentant de recourir à des métaphores, par exemple au concept de masse proposé par les physiciens. Nous avons appris à l'école que tous les objets dotés d'une masse interagissent en créant, autour d'eux et dans l'infini de l'espace, un champ de gravitation décrit par une formule due à Newton. Chaque élément de l'univers se comporte donc en fonction de la totalité des attractions gravitationnelles qu'il reçoit de l'ensemble des autres éléments, si lointains soient-ils. Ces attractions, qui font de l'univers un ensemble unitaire, sont transportées par une particule hypothétique – que n'arrête aucun obstacle et qui n'a pas encore été découverte –, le graviton. De façon semblable, la fortune dont dispose l'ensemble des humains est répartie entre quelques milliards de possesseurs, « personne physiques » ou « personnes morales ».

Ces fortunes, individuelles ou collectives, font l'objet d'échanges au moyen d'une caractéristique, supposée mesurable, en correspondance avec chaque bien ou service, sa « valeur ». De la même façon, un élément doté de masse peut être transféré d'un objet à un autre et en accroître ou en réduire la masse. Mais la métaphore ne peut guère aller plus loin, car elle trahit la réalité. La « masse » d'un objet peut en effet être définie, mesurée, comparée à un étalon, alors que ces caractéristiques n'ont pas de sens pour la valeur. Tout au plus peut-on assimiler la valeur au prix, lorsque celui-ci existe ; ces deux notions cependant ne sont pas identiques : selon le cours magistral du prix Nobel d'économie Maurice Allais, « la valeur est au prix ce que la chaleur est à la température ». Il précise : « Le prix n'est pas une quantité inhérente à une chose, comme son poids, son volume ou sa densité. C'est une qualité qui lui vient de l'extérieur et qui dépend de l'ensemble des caractéristiques psychologiques et techniques de l'économie. »

Dans ces conditions, parler de la valeur d'un bien en lui-même, qu'il soit matériel ou immatériel, est dépourvu de sens ; ce sens ne peut lui être apporté que par l'attitude de ceux qui sont désireux d'en disposer et de ceux qui sont prêts à s'en séparer. Leur confrontation est organisée par le « marché », lieu mythique où chacun compare le plaisir qu'il a de disposer du bien A au déplaisir qu'il ressent à se priver du bien B ; le but de cette comparaison est d'obtenir la satisfaction globale la plus élevée. Comme ces biens sont hétéroclites (que préférer, un baril de pétrole ou un repas dans un restaurant trois étoiles ?), il est pratique de faire transiter systématiquement ces comparaisons par un bien unique servant de référence.

Dans notre culture ce bien de référence est la « monnaie » sous de multiples formes. La valeur est finalement un nombre qui ne mesure guère que lui-même et qui est représenté concrètement par de la monnaie. Les seuls objets dont la valeur soit définie sans ambiguïté sont donc les billets de banque, ils valent le nombre d'unités qui y est imprimé.

Sur le marché global, de multiples transactions ont lieu simultanément et l'aboutissement de chacune influence le déroulement des autres. Conformément à ce que les économistes désignent par « loi de l'offre et de la demande », les variations des prix proposés par les acheteurs et acceptés par les vendeurs influencent les quantités des biens échangés, jusqu'à la réalisation d'une situation d'équilibre.

Les premiers économistes ont souvent admis que cet équilibre correspondait à un optimum collectif. Il en découlait que l'attitude la plus sage était de laisser jouer ce marché qui, par son propre dynamisme, aboutit à un système de prix optimal : la nature est bien faite, laissons-la agir librement ; ne restreignons pas la liberté des acteurs du marché ; adoptons une politique libérale. Tel est le fondement logique du libéralisme.

En réalité, il s'agit là d'une croyance confortable plus que d'une « loi » du même ordre que celles découvertes par les physiciens. Il est possible de montrer que, pour définir et atteindre ce prétendu optimum, de multiples conditions sont nécessaires, et sont rarement réalisées. Insistons sur l'une d'elles peu souvent rappelée alors qu'elle est la plus contraignante : pour que le marché joue un rôle bienfaisant, il faut admettre que la quantité du bien considéré doit ne pas être limitée, non plus que le nombre des acteurs qui y participent.

Pour comprendre l'importance de cette hypothèse de non-finitude de l'espace où s'affrontent les agents de l'économie, il suffit d'évoquer le jeu qui est parfois proposé sous le nom de « chaîne de la fortune » : un personnage X (désignons-le comme membre de la génération 0) envoie à dix de ses amis (génération 1) une lettre leur demandant de la recopier chacun dix fois et de l'adresser à dix autres camarades (génération 2) ; ces cent destinataires sont priés d'une part de poursuivre cette recopie en dix exemplaires et d'expédier ceux-ci, d'autre part d'envoyer 10 euros à X. Celui-ci peut espérer recevoir 1 000 euros, et les amis auxquels il s'est directement adressé autant. Le jeu peut se prolonger tant qu'il reste des amis à plumer (chaque membre de la génération n recevant 10 euros de cent membres de la génération n+ 2). Malheureusement, ce jeu ne dure pas longtemps car, dès la dixième étape, le nombre des lettres à envoyer est supérieur au nombre des humains. Faute d'un monde infini, seuls les tout premiers de la chaîne s'enrichissent au détriment des suivants (pour la même raison de finitude, les casinos sont toujours bénéficiaires car ils limitent le montant des mises).

Sous une forme différente, les mésaventures récentes des banques et des compagnies d'assurances sont sans doute liées au fait que la planète pouvait jusqu'il y a peu (quelques décennies) être considérée comme infinie et qu'elle est soudain, en raison des nouveaux moyens de transport et surtout des nouveaux moyens de communication, devenue bien petite.

Terminons cette courte revue des termes ambigus par le mot « monnaie ». Non seulement cette monnaie peut se présenter sous des aspects très divers, mais les rôles dont elle est chargée, les fonctions qu'elle remplit, sont multiples : elle est, selon Allais, à la fois un étalon de valeur dans l'espace, un étalon de valeur dans le temps, une réserve de valeur, enfin un instrument d'échange. Sur la scène où se joue cette tragi-comédie, cet unique acteur apparaît sous des déguisements variables ; et il passe de l'un à l'autre sans prévenir, ce qui rend son comportement incompréhensible.

Cette polyvalence permet peut-être de comprendre le tour de passe-passe réussi récemment par un chef d'État à l'ébahissement des citoyens : au printemps dernier il annonçait que « les caisses sont vides », et en été il disposait de centaines de milliards d'euros pour sauver des banques. La seule explication est qu'il ne s'agissait pas des mêmes euros ; les uns étaient sans doute de la catégorie des « réserves de valeur », les autres des « instruments d'échange ». Il s'agissait donc bien de prestidigitation, comme lorsque la tourterelle mise dans un chapeau réapparaît sous la forme d'un lapin. Le tour de magie a semblé d'autant plus inexplicable que le public était obsédé par un concept exactement opposé, la croissance, et gardait un vague souvenir d'un spectacle semblable auquel ses ancêtres avaient participé deux siècles plus tôt.

Les rois de France ont souvent eu besoin d'argent. Dès avant la Révolution, un moyen de s'en procurer avait été proposé à Louis XVI par Talleyrand : confisquer les biens du clergé puis les vendre ou les utiliser comme gage d'un emprunt. L'idée fut concrétisée par l'Assemblée constituante : dès l'automne 1789, un emprunt de 400 millions de livres était lancé, ce qui représentait environ le dixième de la valeur escomptée de ces biens. L'Assemblée avait donc eu le courage de limiter le recours à cette solution de facilité. Mais les besoins se firent plus pressants et, dès l'année suivante, deux emprunts du même montant chacun étaient lancés, puis le rythme s'accéléra d'année en année. Leur montant cumulé était, sous le Directoire, dix fois supérieur à la valeur du gage. Personne ne voulait de ces assignats malgré les obligations légales et les châtiments, y compris la guillotine, dont étaient menacés ceux qui les refusaient. Finalement, le Directoire dut utiliser les grands moyens pour s'en débarrasser : toutes les planches à billets furent rassemblées place Vendôme et détruites sous les yeux du peuple.

Cette fin sans gloire rend suspectes toutes les tentatives d'imposer artificiellement une nouvelle monnaie ; cette réaction est plus vive encore en Allemagne où subsiste le souvenir de l'hyperinflation qui a suivi la défaite de 1918. Ces périodes extrêmes sont certes douloureuses, mais elles peuvent être riches de leçons en nuançant notre jugement sur d'autres épisodes exceptionnels. L'idée de départ des assignats doit être replacée dans l'élan patriotique qui a suivi la nuit du 4 Août. Amener les trois états, clergé, noblesse et tiers, à une action commune en affectant à un pot commun les richesses de l'ensemble des citoyens était dans le droit fil de l'enthousiasme initial, du moins tel qu'il s'était manifesté. Les courants divergents qui agitaient alors le pays ont ainsi apporté l'occasion de décisions irréversibles. L'affaire des assignats ne fut qu'un des aspects des mutations qui ont alors provoqué une bifurcation de notre pays.

Nous en souvenir peut nous aider à analyser le psychodrame financier mondial que nous venons de vivre. Les événements ont eu la dimension non de la France, pas même de l'Europe, mais de la planète entière. Ce qui restera marqué dans les esprits est l'évidente interdépendance de tous les acteurs ; il dépend de nous que cette interdépendance débouche sur l'acceptation d'une solidarité de fait et pas seulement d'une solidarité de bons sentiments.

Si l'on compare les événements de l'automne 1789 à ceux de l'hiver 2009, qui nous troublent tant aujourd'hui, des point communs se révèlent, notamment la notion peu à peu répandue de trésor commun de l'humanité ; une part en a été créée par l'habileté des humains, où qu'ils soient sur la planète, une autre a été offerte aux humains par la nature. À qui appartiennent ces richesses ?

Les réponses possibles sont nombreuses et ont été essayées avec de multiples nuances par les diverses cultures, fruits de choix arbitraires. Tout au long de l'histoire humaine, elles ont dérivé lentement pour tenir compte des conditions naturelles et des rapports avec nos semblables. Il se trouve que ces conditions viennent d'être transformées par les moyens techniques nouveaux d'observation et de communication dont nous disposons, nos comportements doivent donc à leur tour évoluer.

Un exemple est fourni par le concept combien complexe de propriété. La Déclaration universelle déclare simplement que « toute personne a droit à la propriété ». Cette affirmation reflète les conditions qui ont prévalu depuis le néolithique, il y a près de quinze mille ans, avec le développement de l'agriculture et de l'élevage ; elles étaient encore valables il y a deux siècles. Celui qui avait labouré, ensemencé, moissonné un champ avait des droits sur la récolte ; elle était sa propriété.

Mais ces conditions viennent d'être transformées. La récolte est désormais le fruit de multiples apports indirects, que ce soit la fabrication du tracteur ou la production du gazole. Le propriétaire est nécessairement multiple, au point de ne pouvoir être désigné. Cette évidence est admise pour les œuvres d'art et toutes les œuvres classées par l'Unesco dans le patrimoine commun de l'humanité.

Si, à la façon des Conventionnels de 1793, nous entreprenions de donner de nouveaux noms aux périodes du calendrier, nous n'appellerions pas les mois d'hiver « nivôse » ou « ventôse », par référence à la neige ou à la tempête, mais « gâchôse » ou « boulimôse », par référence au délire de consommation et de gâchis dont notre société est volontairement possédée durant les fêtes de fin d'année.

La publicité sous toutes ses formes alors se déchaîne ; elle persuade chacun que son devoir de citoyen est de participer à cette frénésie collective et que son bonheur en dépend. La fête finie, elle nous laisse épuisés, mais nous sommes satisfaits d'avoir contribué au culte de la divinité suprême, la Consommation. Les milliers de tonnes d'emballages que les éboueurs emportent vers les usines d'incinération donnent le spectacle concret de cette réussite en trompe-l'œil. Les économistes et les politiques, persuadés que la gloire en rejaillit sur eux, entonnent leurs cantiques habituels pour célébrer la croissance enfin retrouvée.

Alors qu'il s'agit d'une apothéose de l'inconscience.

Le mot « croissance » à lui seul est le signe d'une véritable supercherie, contre laquelle l'enseignement prémunissait autrefois les élèves préparant le certificat d'études, au bon vieux temps où ce certif marquait la fin de l'adolescence. Les programmes scolaires introduisaient le concept d'« intérêts composés », c'est-à-dire, en termes plus pédants, celui de l'évolution exponentielle. Les élèves comprenaient qu'un franc placé à « trois pour cent l'an » à l'époque de Charlemagne représentait, douze siècles plus tard, une fortune fabuleuse supérieure à la totalité des avoirs de tous les humains morts ou vivants ; ils savaient donc qu'un tel processus ne peut être durable.

Ce concept d'accroissement exponentiel, c'est-à-dire proportionnel au niveau déjà atteint, n'est guère assimilé, semble-t-il, par les élèves de l'ENA. Parvenus dans ce qu'ils appellent la « vie active », c'est-à-dire l'action politique ou la gestion des entreprises, ils structurent toute la problématique de l'avenir de nos sociétés autour de la notion de croissance. Les solutions qu'ils proposent aux difficultés d'aujourd'hui impliquent systématiquement un recours à un accroissement de l'activité, sans poser la question de la compatibilité de cet avenir avec les limitations imposées par la nature. Leurs schémas sont volontiers acceptés, car dans l'immédiat ils promettent des améliorations, et tiennent pour commencer leurs promesses ; exactement comme le fait l'usage d'une drogue nouvelle.

L'ennui est que le remède est pire que le mal, car il ne fait que rendre nécessaire une dose toujours plus importante : la croissance d'aujourd'hui implique une croissance plus grande demain ; à la façon dont les joueurs, au casino, se lancent dans une martingale. Tout irait bien si nous disposions d'un univers accessible illimité. Or, nous l'avons vu, la part du cosmos mise à la disposition des humains est étroitement bornée. Ceux qui prêchent la croissance de la consommation, dans les pays où les besoins vitaux sont déjà plus que satisfaits, sont aussi néfastes que les dealers répandant leurs drogues.

La finitude de notre planète impose, de toute évidence, de mettre en place une structure de l'humanité dont les rapports avec le monde concret qui l'entoure puissent durablement rester stables. À l'opposé de ce que suggère le dictionnaire, l'économie doit laisser place à l'écologie.

Cette stabilité n'implique nullement une stagnation. Le développement de multiples activités est parfaitement possible, mais à condition qu'elles ne se heurtent pas aux contraintes naturelles. Il est donc nécessaire de commencer par bien définir l'objet de la croissance, de préciser sa mesure, de faire l'inventaire des limites, enfin d'imaginer des comportements qui pourront se développer dans des domaines où ces limites ne se manifestent pas.

Qu'est-ce donc qui « croît » et comment mesure-t-on cette croissance ? Une discipline, l'économétrie, s'est développée pour répondre à cette question. L'Institut de la statistique est chargé d'apporter toutes les données qui permettront de faire les calculs nécessaires.

La réalité que l'on s'efforce de décrire a de multiples facettes étudiées avec compétence par des équipes de spécialistes. Mais le public ne peut pas tenir compte de toutes les nuances que nécessite l'interprétation des données. Il demande des indicateurs synthétiques. L'on se heurte alors à un problème sans solution : comment décrire avec un petit nombre de paramètres une réalité multidimensionnelle ?

La réponse est nécessairement semblable à celle que donnait Binet, l'inventeur des tests décrivant l'activité intellectuelle, à la question : « Qu'est-ce que l'intelligence ? » La légende prétend qu'il répondait : « L'intelligence, c'est ce que mesurent mes tests. » De même, l'économiste, interrogé sur la signification de ses statistiques, peut répondre : « La croissance, c'est ce que mesurent mes indices. » Autrement dit « ce » qui croît n'est pas défini.

Pour tenter de comprendre quelle réalité est liée aux statistiques de la croissance, il est utile d'examiner quelques cas particuliers qui aboutissent à des paradoxes. Les discours admettent tous implicitement que son accroissement est un bon signe, sa diminution ou simplement sa stagnation un mauvais signe. Est-ce si sûr ?

Imaginons que, comme dans un conte pour enfants, la délinquance dans notre pays diminue bientôt rapidement, grâce à l'efficacité du système éducatif ; les adolescents sont heureux dans les cités, mot qui retrouve son sens premier de lieu où les citoyens se rencontrent ; la violence n'a plus l'occasion de se manifester. Dans ce monde à la fois utopique et réalisable, la plupart des moyens mis en place pour lutter contre les comportements délinquants deviennent sans objet ; de nombreux policiers, gardiens de prison, juges, éducateurs spécialisés, se trouvent sans emploi ; le chômage s'étend ; les indices de croissance passent au rouge. Le pouvoir doit-il alors encourager la délinquance dans l'espoir d'améliorer ces indices ?

À l'opposé, le développement des activités bénévoles laisse hors du domaine des économistes un pan essentiel des rapports entre les citoyens. Les statisticiens ignorent les finalités généreuses et les bons sentiments. Pour eux, la bénévolence est l'ennemie de la croissance.

La façon dont les économistes négligent trop souvent de tenir compte de la finitude de la Terre est significative du comportement de l'humanité envers elle. Nous avons agi comme si elle était à notre service et inépuisable. Dans de nombreux domaines, la cote d'alerte a été dépassée, notamment dans l'utilisation des ressources non renouvelables de la Terre, ce qui est le cas des sources d'énergie, gaz, charbon, pétrole par exemple. Un arrêt le plus rapide possible de la destruction en cours s'impose avec comme

110

objectif de retarder ou même d'éviter leur épuisement. Raisonnablement, nous devons nous contenter, pour satisfaire nos besoins en énergie, de la seule source inépuisable à vue d'homme, le soleil, cette merveilleuse centrale nucléaire dont la durée de vie s'exprime en milliards d'années. C'est la gestion de l'ensemble des biens non renouvelables fournis par la Terre qui doit être repensée. Cette gestion est raisonnable pour les récoltes obtenues au rythme des saisons, elle ne l'est pas pour les biens non renouvelables ou qui le sont à un rythme trop lent, tel le pétrole. Ces cadeaux, qui ne sont reçus qu'une fois, à qui appartiennent-ils ? La seule réponse sage est : « À tous les humains », « tous » signifiant aussi bien ceux qui sont nos contemporains que les humains encore à naître. Comment pourrait-on justifier une réponse différente ?

Cette évidence a des conséquences vertigineuses. Les richesses de la Terre appartiennent à nos descendants. Nous devons donc cesser de les détruire sous peine de commettre un vol. Le constat récent que notre domaine est terriblement étroit suffit à bouleverser notre regard sur notre aventure Le choc a été rendu plus violent par notre comportement fondé sur l'oubli des limites imposées par la nature.

Le même inventaire met en évidence la nécessité de limiter les déchets de notre activité. Nous sommes assignés à résidence sur notre petite planète et nous ne disposons d'aucune poubelle, sinon l'atmosphère ou notre sous-sol ; mais nous découvrons que la première est fragile et que le second pose de multiples problèmes.

Pour l'atmosphère, les interrogations à propos des changements climatiques sont maintenant posées fort heureusement avec insistance, mais les réponses sont toujours floues. Sommes-nous en présence d'une évolution accidentelle due aux activités humaines ou d'un épisode sans importance inscrit dans des rythmes de glaciation-réchauffement qui s'étendent sur de très longues périodes ? Nul ne peut répondre.

Plus inquiétant est le stockage des produits radioactifs à longue vie. Nous laissons ce cadeau empoisonné à nos descendants qui devront se préoccuper durant des millénaires de ces sources sécrétant leur venin mortel. Combien de morts en l'an 3000 (dix siècles sont vite passés) seront-elles induites par le plutonium généré dans les centrales d'aujourd'hui pour éclairer les autoroutes ou, durant des nuits entières, des publicités que personne ne regarde ? Nous sommes loin de l'attitude raisonnable du « père de famille » décrit par les notaires : les humains actuels gaspillent les kilowatts qui réchauffent, nos arrière-petits-enfants seront assassinés par les rayons gamma qui tuent !

Le cas de ce plutonium est significatif. Il avait sans doute été généré, il y a quatre milliards d'années, lors de la réalisation de la planète ; puis il avait entièrement disparu car sa demi-vie (durée au cours de laquelle il perd la moitié de son potentiel radioactif) n'est « que » de vingt-cinq mille ans. Il est réapparu sur la Terre en 1941 lors des expériences qui ont abouti à la fabrication de la bombe A. Comment maintenant s'en débarrasser ? Il suffira d'attendre quelques étapes longues chacune de vingt-cinq mille ans, c'est-à-dire bien courtes à vue de planète, terriblement longues à vue d'homme.

De façon inattendue, le problème des déchets, que ce soient les résidus de la combustion des hydrocarbures ou ceux des centrales nucléaires, s'impose avec au moins autant d'acuité que celui des ressources. Il faudra donc tendre vers des processus en circuit fermé, ce qui rend nécessaire une période de décroissance.

Reste à développer tout ce qui n'affecte pas la Terre ; il se trouve, quelle chance ! que les activités qui nous apportent le plus de satisfaction,

la recherche, la création de la beauté, l'éducation, la lutte contre les maladies, se rangent dans
cette catégorie. Dans ces domaines, nous pouvons sans limite exiger plus de notre commune
humanité. Cette humanité que nous avons à
construire, nous pouvons l'imaginer à la fois
consciente des contraintes que la nature lui
impose et capable d'une dynamique joyeuse.
Pourquoi pas ? Cela ne dépend que de nous.

Ceux qui, comme je le fais ici, osent s'atta-
quer à l'idéologie de la croissance, si profondé-
ment incrustée dans nos sociétés, affrontent le
risque d'être décrits comme des esprits chagrins,
opposés au progrès et qui veulent revenir au
bon vieux temps. En réalité, leur objectif est
d'impulser une dynamique, une évolution, mais
une évolution qui tienne compte de ce que la
planète peut nous apporter et de ce qu'elle peut
absorber. Il ne s'agit pas d'une position idéolo-
gique mais d'une attitude réaliste. Ce qui n'em-
pêche pas de rêver, et d'imaginer un sort meilleur
pour chacun des humains.

La Terre, il nous faut l'accepter telle qu'elle est,
capable de nous offrir de merveilleux cadeaux,
comme de nous imposer les conséquences douloureuses de ses colères. Les couchers de soleil
qui nous émerveillent et les tsunamis qui nous
terrifient, l'éclosion printanière des fleurs pro-

messe de renouveau et les séismes destructeurs ne sont que les manifestations des mécanismes aveugles qui se produisent en elle ou à sa surface. Nous n'avons ni à la remercier lorsqu'elle nous satisfait, ni à lui faire des reproches lorsqu'elle nous fait mal. Le monde qui nous entoure nous ignore. Notre rôle est de décrypter les forces en action et, dans la mesure de nos moyens, de les utiliser à notre profit.

En revanche, ce que décident les humains dans leurs rapports les uns avec les autres ne dépend que d'eux ; lorsqu'ils déclenchent des guerres monstrueuses, lorsqu'ils organisent des génocides, lorsqu'ils se satisfont de sociétés basées sur le gaspillage ou, pis, sur le mépris, la nature n'y est pour rien.

Se référer à elle comme à une divinité malfaisante qui nous pousserait au crime est une excuse infantile. La nature nous donne les informations nécessaires pour entretenir la vie en nous ; ce n'est pas elle qui dicte nos comportements. Ces comportements, il nous faut admettre que nous en sommes seuls responsables lorsque nous décidons de diriger l'activité de notre collectivité vers la domination des autres ou vers la coopération avec les autres.

Quelle que soit l'horreur de ce qui est commis par des humains, nous n'avons jamais le droit de prétendre « ce n'est pas moi, je n'y suis pour rien ». Le tissu d'informations, de réprobations ou d'encouragements qui englobe maintenant tous les humains est suffisamment serré pour que de proche en proche la responsabilité soit, dans tous les cas, partagée. Ce partage est évident lorsqu'il s'agit de lutter contre une injustice ponctuelle comme dans le cas des hommes et des femmes pris en otage, ou de ceux condamnés à mort sans procès équitable. Il ne l'est pas moins dans la recherche d'une structure de société capable de générer une dynamique humaine, de se développer en trouvant en elle-même, et pas seulement dans la nature, les ressources indispensables.

Nous sommes là au cœur de l'incompréhension provoquée par l'économie qui ne tient compte implicitement que de la production ou de l'échange des biens ayant une valeur, sans parvenir à définir cette valeur.

Remarquons que cette volonté d'influencer le cours des choses, de se donner un objectif, est propre à notre espèce. Les autres, semble-t-il, se contentent de lutter contre le pouvoir destructeur du temps. Leur seul objectif est de durer, soit individuellement en entretenant les multiples métabolismes qui sont le signe de la vie, soit collectivement en produisant la génération suivante et en la protégeant. Nous, les humains sommes, à notre connaissance, les seuls vivants qui aient la capacité d'imaginer un avenir et de provoquer des modifications à la séquence naturelle des événements.

Notre plaisir, lorsque nous obtenons ce que nous désirons, est le plus souvent de courte durée. Nous désirons toujours « plus ». N'y voyons pas une faiblesse, un défaut ; ce désir permanent est au contraire un moteur qui fait de nous les véritables artisans de l'humanité. Elle a été produite par la nature, mais elle est devenue, et elle deviendra plus encore, ce que nous aurons fait d'elle.

Ce besoin permanent de plus est générateur de frustration, mais il est à l'origine de toutes nos créations. Le réduire aboutirait à une humanité satisfaite, repue, à l'abri certes de la douleur des échecs, mais qui ne connaîtrait plus la joie des réussites difficiles. Il nous faut entretenir l'exigence ; le vrai problème n'est pas de la limiter mais de la diriger vers des objectifs qui ne soient pas des impasses, de définir raisonnablement ce qui doit grandir.

La croissance de la consommation est, parmi les exigences manifestées, celle qui recueille actuellement la plus large approbation. Par malheur, c'est elle aussi qui, dans les pays développés, nous entraîne le plus évidemment vers un butoir, en raison de la finitude de la planète. La promouvoir ne peut donc être que néfaste. Mais il ne faut pas pour autant renoncer à d'autres exigences, en les développant dans des domaines où la fragilité de la Terre ne constitue pas un obstacle. En particulier à celles dont la satisfaction n'implique que les activités humaines.

Ainsi peut-on donner du sens à l'opposition sémantique entre les deux mots si présents dans les discours : croissance et développement ; le premier concerne les biens ayant une valeur marchande, produits, consommés, échangés par des individus pour construire et entretenir leur organisme ; le second concerne les biens qui ne peuvent qu'être trahis par l'évocation de leur valeur et qui permettent à des personnes de devenir elles-mêmes par la rencontre des autres.

*
* *

Le changement de perspective que nécessite, dès à présent, l'abandon du leurre qu'est la croissance des biens matériels ne pourra aboutir que par l'adhésion des générations qui nous suivront.

118

Les signes sont nombreux d'un écœurement des adolescents devant ce que nos sociétés présentent comme des réussites et qui ne sont ressentis par les nouveaux venus que comme des embrigadements, des mises aux normes, qu'ils récusent.

Il est temps que les années passées dans le système éducatif leur apparaissent non comme la préparation à une soumission, mais comme le début de la construction par chacun de la personne qu'il choisit d'être.

C'est cette soumission qui représente le pire danger de l'intégrisme économique : l'acceptation passive des conséquences de processus qui nous échappent, amplifiée par le recours à des mots qui ne font référence à aucune réalité. Les événements de l'été 2008 semblent avoir fait progresser de plusieurs étapes le compte à rebours qui conduit à la catastrophe économique. Heureusement, la conscience du danger, elle aussi, a progressé. Elle peut nous aider à éviter le pire. L'aboutissement de cette course entre l'obscurantisme et la lucidité dépend du système éducatif.

L'éducation permanente

Spécificité humaine. « L'enfant au cœur du système ». Les notes. Les fondamentaux. Ici, maintenant et joyeux. Un cas d'école, l'X. L'enfermement dans la description.

Tentant de préciser la particularité essentielle de notre espèce, nous faisons le constat paradoxal que la communauté humaine, constituée de l'ensemble de nos semblables, participe à la réalisation de chaque personne. La nature, au terme de milliards d'années de tâtonnements, a produit une branche de l'arbre généalogique des vivants qu'elle a dotée d'un système nerveux central hypertrophié, outil d'une activité intellectuelle sans équivalent. Cette capacité d'Homo sapiens lui a permis notamment de mettre en place un réseau de communication d'une efficacité fabuleuse. Les membres de l'espèce sont capables non seulement de transmettre les uns aux autres des informations, mais de partager des émotions, de s'associer pour formuler des questions, de s'aider pour imaginer des réponses.

Grâce à ce réseau, chacun est capable de performances auxquelles, isolé, il ne peut parvenir. Le jeu de ces interactions peu à peu affinées a transformé l'humanité dans sa définition même. Elle n'est plus seulement une collection d'individus accumulés par les processus de l'évolution, elle est devenue une immense machine qui intègre aujourd'hui plus de six milliards d'éléments, et qui dispose grâce à sa propre complexité d'un début d'autonomie. Ce qui lui permet d'intervenir dans la réalisation de chaque humain, de tenir à la fois le rôle de Pygmalion et celui de Galatée.

Selon la légende, la beauté de la statue qu'il venait de sculpter était si émouvante que Pygmalion obtint des dieux de donner vie à Galatée, de transformer cet objet de marbre en une personne. De même, faite par les humains, l'humanité est devenue le sculpteur des humains.

Raconter une vie, c'est décrire les épisodes qui ont permis à un petit d'homme de devenir toujours plus lui-même et toujours plus humain. Rembrandt a illustré ce double cheminement par la série de ses autoportraits répartis sur la quasi-totalité de sa vie. Il nous montre un de nos semblables devenant lui-même. Sous nos yeux, le jeune apprenti riche de son propre enthousiasme devient le vieillard façonné par ses succès et ses échecs.

Devenir soi nécessite un détour par les autres, car il faut s'immerger dans toutes les richesses apportées par nos prédécesseurs. Ce détour peut être périlleux, douloureux, mais en faire l'économie serait délibérément s'appauvrir. Faciliter cette exploration, en donner le désir, c'est l'objectif de l'ensemble des activités regroupées dans le mot « école ».

S'efforçant de préciser les dangers nouveaux qui menacent gravement la survie de l'humanité, nous devons, avec cette définition, focaliser notre regard sur le système éducatif, ce domaine où, mieux qu'ailleurs, une chance peut être saisie pour reprendre confiance en l'avenir. Comment saisir cette chance ?

La première étape est de préciser l'objectif : celui-ci concerne-t-il les individus ou la collectivité ? La réponse n'est nullement évidente. Tous les discours à propos de l'école insistent sur la nécessité de « mettre l'enfant au cœur du système éducatif » ; mais la plupart des mesures s'efforçant d'améliorer son efficacité sont décidées en considérant la structure sociale comme une donnée stable à laquelle l'école doit se soumettre. Au cœur du système éducatif actuel, ce n'est pas l'élève que l'on découvre, c'est plus souvent l'économiste, quand ce n'est pas le financier.

Il est vrai que cette structure collective n'évoluait, jusqu'il y a peu, que très lentement. Les filles étaient principalement préparées à leur rôle de mère tandis que les garçons apprenaient les comportements qui leur permettraient de tenir une place dans la société. Les compétences nécessaires ne changeaient guère d'un siècle à l'autre. L'école participait à la perpétuation de cet équilibre ; elle apportait aux élèves les savoirs jugés indispensables, notamment ceux que l'on présente aujourd'hui avec emphase comme les « fondamentaux » : lire, écrire, compter, comme s'il n'était pas tout aussi fondamental de savoir écouter, s'exprimer, questionner, c'est-à-dire en un mot : rencontrer.

La seconde étape est de définir les méthodes pédagogiques qui permettront de s'approcher de cet objectif. Au cœur de ces méthodes s'impose comme un outil nécessaire la note. Son omniprésence justifie d'analyser son rôle.

Une note, qu'elle soit attribuée à une copie, à un oral, à un élève, est un nombre. Noter consiste donc à traduire dans un langage chiffré l'ensemble des opinions auxquelles le correcteur adhère ; ce langage a sa propre écriture, les chiffres, son propre vocabulaire, les nombres, sa propre grammaire, les opérations définies par l'arithmétique. La traduction imposée au correcteur est nécessairement arbitraire puisqu'elle remplace un ensemble souvent très riche d'opinions par un seul nombre. Me référant aux articles « Nombre » et « Mesure » du *Dictionnaire des sciences*[1], j'apprends que les mots qui ont tant inquiété Nabuchodonosor, *mané*, *thécel*, *farès*, peuvent être traduits par « pesé », « compté », « mesuré » ; ils signifient que, pour décrire un élément de la réalité, nous avons besoin de mesures. Celles-ci comportent deux informations : la définition de l'unité adoptée pour la caractéristique mesurée, et la quantité de l'unité de mesure qui est incorporée dans l'objet considéré. Le boucher qui arrange son étal écrit pour chaque morceau le prix au kilo et le poids. Ce qu'il vend est mesuré. Mais de quelle mesure s'agit-il lorsqu'un professeur de français donne la note de huit sur vingt à une copie ?

Le principal intérêt de cette note est de pouvoir en déduire un palmarès, car la propriété des nombres est que la non-égalité implique la hiérarchie. Mais en réalité, le plus souvent, le

---

1. *Dictionnaire des sciences*, Flammarion, 1997.

correcteur commence par décider intérieurement de la hiérarchie et adapte ensuite ses notes pour la justifier. Ce n'est donc qu'une hypocrisie. Mais surtout cette hiérarchie a-t-elle le moindre intérêt ? Notre société est telle que l'horizon du système scolaire se borne à des classements, mais le véritable objectif devrait être en permanence de progresser, d'être meilleur que soi-même et non meilleur que les autres. C'est toute la philosophie de l'école qu'il faut repenser : apprendre à rencontrer les autres pour se construire, ou se battre contre les autres pour les dominer.

Pour adapter chacun à la société de demain la seconde attitude est sans doute la plus efficace. Mais on peut espérer que le système scolaire aura à cœur de préparer une société nouvelle conforme à la première attitude.

Depuis la première machine à vapeur jusqu'aux outils informatiques les plus performants, l'introduction d'engins capables d'effectuer plus vite et souvent mieux les tâches des humains a totalement changé les conditions de l'éducation et déplacé sa fonction même. Malheureusement, ce déplacement a été subi alors qu'il aurait dû être dirigé.

Un épisode significatif de ces occasions ratées, où ceux qui auraient pu prendre leur destin en main s'en sont laissé déposséder, a été, dans le domaine du travail, la mésaventure des canuts de Lyon. Pour réaliser des soieries, ils exerçaient un métier fatigant, méticuleux, mal payé. À la fin du XVIIIᵉ siècle, un ingénieur, Joseph Marie Jacquard, mit au point une machine permettant à un seul ouvrier (alors qu'auparavant il en fallait plusieurs) de réaliser les motifs les plus compliqués. Les canuts auraient dû s'associer pour acquérir cette *mécanique-jacquard*, obtenir le même résultat avec moins de travail, et se réjouir d'une vie moins soumise. Hélas la machine a été achetée non par eux mais par leurs patrons qui ont bénéficié d'une meilleure productivité – pour utiliser les termes actuels – et mis les ouvriers au chômage. Faite pour aider les humains, la technique a, dans cette aventure, contribué à les asservir.

Un processus de même nature a sévi dans l'éducation. Le fonctionnement de la collectivité nécessite des compétences toujours plus diverses, dont l'apprentissage est toujours plus long. Il est normal de demander à l'école de participer à la formation des spécialistes de tous niveaux, mais elle n'a pas à être responsable de l'ajustement entre les compétences acquises par les individus et les besoins collectifs tels qu'ils sont manifestés ou prévus. Ces besoins sont d'ailleurs mal connus pour le présent et inconnaissables pour l'avenir ; ils concernent toutes les activités, non seulement celles qui sont nécessitées par les métabolismes sociaux – produire, transporter, consommer –, mais par l'ensemble des besoins et des désirs humains, y compris les interrogations qui se manifestent au cours de l'éducation – comprendre, admirer, interroger.

La machine devrait être au service de ceux qu'elle aide, non au service des financiers qui s'en rendent propriétaires. De même, l'école est au service de ceux qui s'adressent à elle pour qu'elle les aide à devenir eux-mêmes, non au service de la société. Elle n'est pas chargée de lui fournir les humains prêts à l'emploi dont elle a besoin ; elle n'a pas à se préoccuper du nombre d'archivistes-paléographes, d'astronautes, de jardiniers ou de pianistes dont la société aura besoin dans vingt ans. Son rôle est de fournir dans l'immédiat, à ceux qui pensent en avoir la vocation, les moyens d'acquérir les compétences qu'ils désirent.

Loin de participer au maintien des équilibres sociaux, elle a pour rôle de provoquer les remises en question nécessaires, et de veiller à ce qu'un regard respectueux soit porté sur la réalité humaine. Répétons-le, le petit d'homme tel que produit par la nature est un individu qui, au fil de sa vie, deviendra une personne. Il apparaît à son origine comme un objet, mais il est destiné à devenir un sujet. Cette métamorphose est réalisée par lui-même avec l'aide indispensable des autres. La période scolaire est l'une des phases privilégiées de cette aventure. Celle où la société offre ce qu'il y a de plus riche dans le trésor qu'elle a accumulé, les interrogations et les compréhensions, les émotions et les colères, la sérénité et la beauté. Tous ces biens, que l'on multiplie en les partageant, participent à la fécondité des rencontres, ces événements mystérieux au cours desquels ce qui se développe en l'un s'épanouit simultanément en l'autre.

L'école est alors définie comme le lieu où chacun devient un humain en se sentant le partenaire de tous ceux qui ont enrichi notre collectivité. Certes, le savoir individuel est nécessaire, mais il doit être enseigné non pour son contenu mais pour les pas qu'il permet de faire vers l'humanitude. À l'école, l'apprenti commence par progresser sur le même parcours que ses prédécesseurs, par suivre des chemins déjà tracés ; mais, s'il borne à cela son ambition, il ne participe guère au devenir de l'espèce. Cette ambition, comme celle de son entourage, peut être d'aller au-delà en explorant des voies pour lui nouvelles. Ainsi les efforts nécessaires pour assimiler la langue maternelle et dominer la grammaire sont justifiés par l'ouverture au monde que nous apporte la lecture ; ainsi les raisonnements fondés sur les concepts abstraits imaginés par les mathématiciens apportent le plaisir de construire un modèle du cosmos plus facile à comprendre que le chaos découvert par nos sens ; ainsi l'émotion qui nous envahit devant l'émotion de l'autre nous permet de sentir que nous existons au-delà de nous-mêmes.

Tout cela se vit au présent et, pourquoi pas, joyeusement. Certaines religions ont souvent présenté la vie terrestre comme un prélude, comme une préparation à la vie éternelle à laquelle nous accéderons dans l'au-delà. Cette présentation risque de nous faire regarder comme négligeable la partie de notre aventure qui se déroule bien concrètement ici-bas, et sur laquelle nous pouvons avoir prise. Le système éducatif se rend complice d'une spoliation en faisant de chaque phase dans les avancées de la compréhension une étape n'ayant pour fonction que de préparer la phase suivante. Tout se passe comme si en maternelle il fallait être obsédé par l'entrée au CP, en CM2 par l'entrée en sixième, etc., jusqu'au jour où, reçu au bac, on apprend que ce fameux diplôme n'ouvre à lui seul que bien peu de portes.

L'opposition entre la réalité présente du système éducatif et le projet proposé est si radicale que la réaction immédiate est d'y voir une utopie. C'est avec réalisme qu'un ministre de l'Éducation nationale a décrit son administration comme un mammouth. Il est clair que vouloir le réformer est plutôt signe d'inconscience. Mais ce n'est pas de cela qu'il s'agit ici. Oublions provisoirement les discussions dont se nourrit ce mammouth, sur la meilleure méthode d'apprentissage de la lecture, ou sur le degré d'autonomie des universités ; non que ces questions et bien d'autres soient de faible importance, mais elles devraient s'inscrire dans un choix plus décisif, celui de la finalité des efforts demandés à tous les participants, les élèves et les enseignants, mais aussi les gestionnaires et les contribuables.

C'est là un choix politique, justement parce qu'il échappe aux classifications simples. Ce qui est en cause est la réalité de chaque humain dans son devenir, devenir alimenté par la nature, par les autres et par lui-même. Face à ce projet les positions peuvent être diverses, les idées exprimées être les reflets d'anciens préjugés restés implicites, mais les rencontres avec des auditoires variés montrent que l'adhésion est le plus souvent très large, parfois proche de l'unanimité sur la pertinence d'un tel projet. Les réticences exprimées concernent non cette pertinence mais sa faisabilité : il y aura trop d'obstacles, c'est impossible.

Pourtant, aucune loi humaine, aucune loi naturelle ne s'y oppose ; décider des règles de fonctionnement d'une communauté ne dépend que de la volonté des hommes. Les changements ne sont donc nullement irréalisables.

Un cas réel illustre les « révolutions » nécessaires, l'École polytechnique, que tous les Français connaissent de réputation. Créée il y a deux siècles comme école civile par la Convention, elle a été transformée en école militaire par Napoléon, car il avait besoin d'officiers pour alimenter ses guerres. Elle l'est restée, ce qui fait d'elle un Janus présentant simultanément ses deux apparences, celle de guerriers prêts à se servir de leur épée, celle d'étudiants désireux d'améliorer leur savoir. La première n'est plus qu'un accessoire de théâtre exhibé par la République sur les Champs-Élysées durant le défilé du 14 Juillet. La seconde utilise ce décor grandiose pour se différencier des étudiants et des chercheurs « ordinaires » qui, il est vrai, dans leurs labos et leurs amphis n'ont nulle envie de marcher au pas.

« Ordinaires », les polytechniciens sont bien persuadés qu'ils ne le sont pas. Marcher au pas, ils doivent montrer qu'ils savent. Comment ne s'interrogent-ils pas sur le symbole qu'est leur démonstration annuelle au sein d'une armée dont la « force principale est la discipline » ? Le statut militaire de cette école ne serait qu'un résidu historique pittoresque s'il n'ancrait dans les esprits une vision hiérarchique et figée de la société. À vingt ans, l'avenir de ces jeunes a été fixé en fonction de notes à quelques examens qui les orientent vers la gestion des entreprises ou vers la recherche scientifique, vers la banque ou vers l'informatique. Les choix résultent plus des développements de carrière espérés que des passions ressenties ; ils sont signes d'un conformisme plus que d'une vocation.

Indissociable de l'École polytechnique est le parcours initiatique qu'il est nécessaire de suivre avant d'aller sonner à sa porte. Pendant deux ou trois ans, aussitôt après l'inévitable bac, toute l'énergie, toute l'activité intellectuelle des candidats doivent être tendues par une seule obsession : intégrer. Il faut, comme une taupe, creuser un sombre tunnel en ignorant le reste du monde, à l'exception des autres concurrents ; ceux-ci n'ont de réalité que comme compétiteurs, l'objectif est de les dépasser. La course commencée en maternelle se poursuit. « Encore un dernier effort », disent les profs de « prépas ». Ils ont tort, ce n'est pas le dernier : des efforts plus durs encore attendent ceux qui entrent dans ce jeu de la lutte.

Exacerbé dans le cas particulier du système des prépas, le goût de la compétition est devenu le moteur de la société ; il semble admis que la seule dynamique possible est alimentée par l'opposition des humains les uns aux autres : cette attitude est même présentée comme seule conforme aux lois de la nature. Toutes les occasions sont utilisées pour réaffirmer cette nécessité ; nous avons vu que la théorie de l'évolution des êtres vivants avait été utilisée dans ce but. Il n'est question que de la victoire des meilleurs alors que les confrontations sont autant collectives qu'individuelles, alors qu'elles impliquent autant de coopération que de compétition.

Le cas de Polytechnique ne concerne que quelques centaines de filles et de garçons chaque année. Plus diffuse mais aussi significative d'un contresens est la confusion attribuant un rôle à l'école dans la recherche jamais aboutie d'un équilibre entre l'excès d'ordre et l'excès de désordre, équilibre constamment instable et pour lequel il n'y a pas de recette miracle. Dans la société actuelle obsédée par la sécurité, c'est plutôt l'ordre qui a bonne presse et cette obsession conduit à des initiatives parfois dangereuses pour lesquelles l'école est mise à contribution. Tel a été le cas, il y a quelques années, d'une recherche parrainée par l'Institut de la recherche médicale.

L'idée était de déceler, le plus tôt possible chez les enfants, leur tendance à entreprendre un parcours qui les mènera à la délinquance. Une fois cette détection effectuée à l'âge de cinq ans, les individus à risque – on n'ose pas encore dire les « futurs coupables » – recevront les traitements médicaux voulus pour leur éviter cette déviance ; après quoi ils seront suivis tout au long de leur scolarité.

Dans le même esprit, un projet dévoilé en 2008 permettait aux services de police de tenir à jour un fichier, baptisé Edvige, où étaient répertoriées les personnes, y compris les mineurs de plus de treize ans, ayant eu à faire avec les forces de l'ordre.

Ceux qui ont lu le célèbre roman d'Aldous Huxley, *Le Meilleur des Mondes*, comprendront que la fiction imaginée par cet auteur risque d'être prochainement dépassée par la réalité : une société où chacun sera défini, catalogué, mis aux normes, où le concept même de personne autonome capable d'exercer sa liberté aura disparu.

Cette résurgence de vieilles théories déterministes du comportement rappelle les querelles du début des années 1980 à propos du problème de l'inné et de l'acquis, c'est-à-dire, en employant des mots pédants, le problème de la prédestination de l'aventure de chaque humain. Pour donner un aspect scientifique à leur théorie, les innéistes exhibaient des statistiques montrant que la connaissance des caractéristiques d'un enfant de cinq ans permettait de prévoir ce qu'il serait à dix-huit ans. Un pédopsychiatre en concluait que les jeunes élèves dont le QI était inférieur à 120 ne pourraient pas dépasser le niveau du bac et préconisait de les orienter vers les filières courtes, ce qui leur éviterait un échec et désencombrerait les lycées.

Le raisonnement semble rigoureux ; il convainc ; et pourtant il est fondé sur une erreur logique. Elle consiste à croire à la présence d'une causalité là où il y a seulement une corrélation. Cette corrélation ne signifie nullement que les variables étudiées sont liées l'une à l'autre par un lien causal, mais seulement qu'elles sont l'une et l'autre conséquences d'une cause commune. Revenons à l'étude de l'Inserm : elle montre peut-être que les enfants qui sont indociles à l'école maternelle, peu contrôlés, agressifs, se retrouvent quinze années plus tard parmi les délinquants ; mais cela ne signifie nullement que la cause de cette délinquance est à chercher en eux-mêmes, qu'elle est la conséquence de leur nature, et que des traitements médicaux stimulants ou régulateurs doivent leur être imposés. Cette corrélation peut être le résultat d'une multitude de causes dont la plupart font partie de leur aventure familiale ou sociale et n'ont rien à voir avec leur dotation génétique.

Mais surtout cette tentative de définition de la personnalité des enfants dès leur plus jeune âge constitue un véritable enfermement. Ils seront définitivement catalogués, ils deviendront des objets décrits par le premier psychologue qu'ils auront eu la malchance de rencontrer à l'école maternelle. À la limite, on retrouve dans cette recherche la tentative de voir en chacun des humains le simple aboutissement des informations qu'il a reçues lors de sa conception. Cette hypothèse du « tout génétique » est à l'opposé du regard des généticiens qui sont conscients de la pauvreté de cette dotation initiale ; elle ne comporte que quelques dizaines de milliers de gènes alors que la description du système nerveux central nécessite un nombre d'informations des milliards de fois plus grand. Pour l'essentiel, ces informations ont été accumulées tout au long du processus qui s'est déroulé à partir de la conception et qui ne s'achève qu'avec leur vie.

Oui, c'est tout au long de notre parcours qu'il faut poursuivre cette construction, ce qui ne peut se réaliser que collectivement. Nous trouvons ainsi avec la fonction d'éducation la réponse aux interrogations concernant la croissance économique. Celle-ci ne peut se poursuivre si elle implique une consommation excessive des richesses naturelles ; elle peut en revanche se développer sans limite lorsqu'elle se nourrit d'activités humaines. Le système éducatif est, avec le système sanitaire, le domaine où la construction de l'humanité par les humains ne sera jamais totalement accomplie.

N'oublions pas qu'un être humain est en perpétuel devenir ; l'enfermer dans une définition, qu'elle soit formulée à l'école maternelle ou plus tard, c'est trahir sa liberté de devenir celui qu'il choisit d'être.

Il semble, dans notre société, que la seule dynamique possible ne puisse être alimentée que par l'opposition des humains les uns aux autres. Il n'est question que de la victoire des meilleurs alors que les confrontations sont plus collectives qu'individuelles, alors qu'elles impliquent plus de coopération que de compétition.

Cette réalité a été merveilleusement résumée par une jeune élève d'un lycée qui bannit tout classement, tout palmarès, toute note chiffrée. Comparant la dynamique de ce lycée à celle des établissements classiques, elle a constaté : « Mieux vaut une réussite solidaire qu'un exploit solitaire. »

Table

Ce volume a été composé
par Compo 2000 à Saint-Lô (Manche)

Cet ouvrage a été imprimé en France par
CPI Bussière
à Saint-Amand-Montrond (Cher)
pour le compte des Éditions Stock
31, rue de Fleurus, 75006 Paris
en mars 2009

N° d'édition : 01. – N° d'impression : 090724/4.
Dépôt légal : mars 2009.
54-07-6086/0